현자의 손자
4
천하무쌍의 마왕 강림

"아, 몸에 가까운 부분을 잘라 버렸네.
여러 곳을 동시에 노리는 건 어려운걸."

앨리스 코너
린 휴즈
"어설퍼.
앨리스가 한 건
몸통에 가깝잖아.
내가 한 게
머리에 더 가까워."
"어때? 내가 더
깔끔하게 잘랐지?"
마리아 폰 메시나

시실리 폰 클로드
신 월포드

천하무쌍의 마왕 강림

현자의 손자 4

요시오카 츠요시 지음
키쿠치 세이지 일러스트
최승원 옮김

현자의 손자

Contents

4

서장

마침내 마인(魔人) 집단이 이빨을 드러냈다.

슈투름이 이끄는 마인 집단은 알스하이드 왕국과 블루스피어 제국을 농락했었지만, 제국의 수도인 제도를 함락한 이후로 그들의 활동은 구 제국령내로 한정되었다.

그런 마인들이 별안간 알스하이드 왕국의 이웃 나라인 스이드 왕국을 침공한 것이다.

마인의 집단이라는 인류 역사상 처음으로 겪는 위기에, 당장 침공을 받는 스이드는 물론이고 과거에 마인에게 막대한 피해를 당했던 알스하이드의 국민은 엄청난 공포를 느꼈다.

하지만 그 순간 구세주가 나타났다.

과거에 마인을 토벌하고 영웅이 된 멀린 월포드의 손자인 신 월포드가 이끄는 마법사 집단이 마인 토벌에 나선 것이다.

그들의 이름은 『얼티밋 매지션즈』.

신에게 직접 마법을 배운 그 마법사 집단은 알스하이드 왕국의 일왕자인 아우구스트 폰 알스하이드의 입태자 의식을 치르는 식장에서 하늘을 날아서 현장으로 향한다는 놀라운 방식으로 출진했다.

그 비상식적인 마법의 힘은 알스하이드 국민에게 큰 희망을 주기에 충분했다.

그리고 신과 얼티밋 매지션즈는 그 기대에 부응해 마인 집단의 습격을 저지하고 물리치는 데 성공했다.

신 일행은 너무나도 쉽게 퇴각하는 마인들의 모습에 의아함을 느꼈지만, 그들의 속사정까지는 파악하지는 못했다.

설마 슈투름의 부하가 내부 갈등 때문에 갈라져 나간 마인들을 조종해서 스이드를 침공하게 유도했으리라곤 꿈에도 생각지 못했던 것이다.

일단 마인들을 물리치기는 했으나 그 결말에 납득하지 못한 신 일행은 스이드 국왕에게 한 가지 제안을 했다.

그것은 국가 단위의 대응이 아니라 각국이 힘을 모아 마인들에게 대항하기 위한 방어망을 펼치자는 내용이었다.

그 제안에 스이드 국왕이 긍정적인 자세를 보인 것을 확인하고, 신 일행은 알스하이드로 귀환했다.

그런 신 일행을 기다리고 있었던 건 마인 토벌 소식을 들은 장병들의 박수갈채였다.

그들은 알스하이드의 국왕인 디세움에게 결과를 보고하기 위해 왕성 안을 나아가는 신 일행에게 팀명을 연호하며 찬사를 보냈다.

아우구스트의 입태자 의식 도중에 느닷없이 팀명을 정하

라는 말을 듣고 허겁지겁 얼티밋 매지션즈라는 이름을 붙여 버린 신은 그 이름을 들을 때마다 얼굴이 빨개지곤 했다.

그리고 디세움에게 보고를 마친 일행은 아우구스트의 방에 모여 앞으로의 방침에 관한 이야기를 나누었다.

제1장 해외여행에 데려가 줘!

알스하이드 왕국의 일왕자이자 왕태자이기도 한 오그의 방에 모인 우리는 앞으로의 방침에 관한 이야기를 나눴다. 나와 오그의 뜻은 이유가 다를 뿐 완벽히 일치했다.

나는 마인이 나타났을 때 즉시 달려갈 수 있도록.

오그는 연합을 결성하기 위해.

각국을 방문하고 싶다는 의견을 동시에 제시했다.

하지만 그 모습을 본 오그의 약혼자 에리가 이상한 망상을 하기 시작했다.

아니, 진심으로 궁금해지는데…… 이 세계에도 그쪽 문화가 만연해있는 걸까?

아무튼 또 이상한 오해를 하기 전에 에리를 설득하느라 시간이 꽤 걸렸다.

"참 나…… 왜 걸핏하면 그런 쪽으로 몰고 가려는 거야?"

"그야…… 신 씨와 아우구스트 님은 항상 붙어 다니시잖아요. 서로 장난을 치면서도 왠지 마음이 통하시는 같은 느낌이 들어서……."

"맞아! 신 군은 전하의 어려운 이야기도 척척 이해하는걸!"

"예. 전하의 말씀 한 마디에 숨겨진 뜻까지 꿰뚫어 보실 때가 많지요."

"앨리스! 토르! 너흰 대체 누구 편이야?!"

오해가 더 심해지면 어쩌려고!

"다들 바보 같은 소린 그만해. 신에게 마법을 배운 사람이라면 잘 알잖아. 이 녀석은 머리가 좀 이상해."

"난 또 왜 갑자기 욕을 먹어야 하는 건데?!"

"칭찬이야. 멜리다 님의 이야기로는 혼자서 지금의 마법을 터득했다고 하더군. 대체 머리 구조가 어떻게 되먹은 건지……."

전생의 지식이라는 반칙 기술입니다만…….

"……뭐, 상대가 여자만 아니면 상관없지만요."

""납득하는 방식이 이상하잖아!""

"호흡이 딱 맞네요."

마리아까지 편승했어!

"……신 군…… 그랬던 건가요."

"시실리까지?!"

젠장! 시실리까지 이상한 오해를 하기 시작했잖아!

"절대로 아니야!"

"그치만……."

"……그럼 아니라는 걸 증명해줄까?"

"어…… 신 군?"

나는 시실리를 껴안고 얼굴을 가까이 내밀었다.

"잠깐! 지금 대체 무슨 짓을 하려는 거야!"

"아차, 나도 모르게."

"아으…… 아으……."

위험했다……. 하마터면 다들 보는 앞에서 굉장한 짓을 저지를 뻔했네.

"굉장함다……. 다들 보는데……."

"마크! 저런 건 절대로 따라 하면 안 돼!"

"역시 모자이크가 필요해!"

마크는 어째선지 갑자기 존경하는 시선을 보냈고, 올리비아는 그런 그를 필사적으로 말렸다. 그리고 앨리스, 누가 모자이크가 필요하다고?

"아으으."

새빨개진 시실리는 내 품에서 고개를 들지 못했다.

큰일이네……. 이러다 결혼식을 올리기 전에 덮쳐버릴 것 같아.

"이걸로 잘 알았지? 에리. 보다시피 신은 클로드에게 홀딱 반했어. 다른 여자가 끼어들 틈 따윈 존재하지 않아. 물론 나 같은 건 언급할 가치도 없고."

"아으…… 아, 알겠어요……."

에리도 새빨개진 얼굴로 납득해주었다.

굉장한 짓을 저지를 뻔한 보람이 있었군.

"신 군은 정말! 진짜!"

"아, 미안. 시실리."

시실리도 새빨갛게 익은 얼굴로 내 가슴을 토닥토닥 때렸다.

세상에, 뭐지? 이 귀여운 생물은?

"하아…… 이 바보 커플은 진짜……. 하던 이야기나 계속 하자."

"아, 미안. 그럼 언제부터 갈까?"

장난은 이쯤 하고 슬슬 진지한 이야기를 해보실까.

"될 수 있으면 내일부터라도 당장 가고 싶은데…… 괜찮겠어?"

"난 상관없는데 너야말로 괜찮아? 왕태자가 된 너를 축하하는 축제가 열리잖아."

"국민들이 모여서 떠들썩하게 즐기는 축제니까 내가 없어도 딱히 문제 될 건 없겠지."

하긴 그렇겠군. 오그가 사람들 사이에 껴서 축제를 즐길 것도 아닐 테니.

"그리고 며칠이면 전부 순회할 테니 축제가 끝나기 전에는 돌아올걸."

"그래, 그럼 내일부터 가자. 합숙은 일단 중지하고."

"합숙을 중지하겠다니…… 지금 대체 무슨 말씀을 나누시는 건가요? 그리고 각국을 순회한다는 건……."

"아, 그게 말이지……."

우리의 대화를 따라오지 못한 에리가 질문하자, 오그가

그녀와 메이에게 자세히 설명해주었다.

“가고 싶어요! 저도 가고 싶어요!”

“그러니까 놀러 가는 게 아니래도.”

“다른 나라의 국왕님이랑 말씀을 나눌 건 오라버니잖아요. 그사이에 신 오빠는 한가할 테니 같이 외국의 거리를 관광하고 싶어요!”

“확실히 여러분이 함께 있으면 호위를 걱정할 필요는 전혀 없을 테니 안심하고 관광을 즐길 수 있겠네요.”

오그의 설명을 들은 메이가 자기도 가고 싶다고 주장하자 에리도 편승했다. 아니, 여러분?

“어? 우리도? 전하랑 신만 가는 게 아니라?”

“단둘만 보내는 건 좀…….”

앨리스가 의문을 표하자, 에리는 나와 오그를 단둘만 있게 하는 것에 불안함을 드러냈다.

아직도 의심하는 거야?! 진짜 뿌리가 깊구만!

“아직도 오해가 안 풀린 건가……. 그보다 에리까지 따라올 생각이야?”

“조금 전에도 말씀드렸지만, 여러분이 함께라면 그보다 더 안전한 여행은 없을 테니까요.”

“여행이 아니다만…….”

“아우구스트 님은 각국의 수뇌진과 회담에 힘써주세요. 그 사이에 저흰 관광을 만끽할 테니까요.”

"……야, 신. 내가 아는 에리는 이런 말을 대놓고 할 사람이 아니었어. 이걸 어떻게 책임질 거냐?"

"내 책임 아니거든?!"

오히려 우리 여성진 쪽 책임이겠지!

"앨리스! 린!"

""휘~ 휘~.""

"불지도 못하는 휘파람 부는 척하지 마!"

앨리스와 린은 시선을 피하고 휘파람을 부는 척했다.

왠지 엄청 울컥했다!

"우리 책임 아니야. 에리는 원래 이런 사람이었을걸."

"어머 너무해요, 린. 여러분을 보면서 부럽다고 생각한 건 사실이랍니다."

서로 이름을 부르다니, 합숙 기간에 꽤 친해진 모양이다.

"것 봐. 너희 때문이잖아."

"하지만 가장 큰 이유는 신 씨와 아우구스트 님의 대화가 부러워서였어요."

"역시 네 탓이잖아."

"진짜?!"

돌고 돌아서 결국 내 책임이냐!

"여기서 물러났다간 신 씨에게 아우구스트 님을 뺏길 테니까요."

""이상한 걸로 경쟁하지 마!""

“호흡이 딱 맞네요.”

“그 소리 좀 그만해!”

슬슬 짜증 나네. 대체 어떻게 해야 납득할까?

“저기, 괜찮죠? 아우구스트 님과 결혼해서 왕태자비나 왕비가 되면 맘 편히 외국 여행 같은 건 못 다니잖아요.”

“……하긴 그렇겠군. 너흰 괜찮겠어? 모처럼 좋은 기회라 쉬게 해줄까 했다만…….”

“전 괜찮아요, 전하.”

“저도! 외국에 여행을 가보고 싶었는걸요!”

결국 에리의 고집에 꺾인 오그는 그녀와 메이를 동반할 생각으로 모두에게 같이 가줄 수 없겠느냐고 부탁하자, 마리아와 앨리스가 동의했다.

뭐, 말하는 뉘앙스로 봐선 본인들도 여행을 가고 싶어서 동의한 것 같지만 말이다.

그건 그렇고 깜빡했는데 에리는 왕태자비가 되는 거구나.

그렇게 되면 마음 편히 외국도 다닐 수 없겠지.

왕태자비의 방문은 다른 나라 입장에서는 큰 이벤트가 될 테니까.

결국 호위를 겸해 다 같이 가기로 했다. 합숙 중간의 휴일이라고 치자.

마인 토벌이라는 위업도 달성했고, 각국에 마인이 나타났을 때를 대비하려고 가는 거니까 겸사겸사 관광을 즐겨도 딱히 거리낄 건 없겠지?

"그럼 오그는 열심히 일해."

"……확실히 그 말대로다만, 너한테 들으니 이상하게 화가 나는군……."

"흐흥, 지금까지 실컷 놀림당했으니 가끔은 이렇게 갚아줄 때도 있어야지."

"흠, 좋은 배짱이군. ……앞으로 더 심하게 놀려줄 테다."

"……오그…… 너…… 진심이냐?"

"그래…… 각오해."

뭐, 뭐지? 이 긴장감은?!

나와 오그 사이에 뭐라 할 수 없는 긴장감이 흐르기 시작했다.

"자, 그럼 저기서 싸우는 바보들은 내버려 두고 여행 계획이나 짜볼까요?"

""""예~.""""

""내버려 두지 마!""

"호흡이 딱 맞네요."

"그러니까 그 소리 좀 그만하래도!"

똑같은 개그도 계속하면 질리거든!

아무튼 우리는 그대로 여행 계획을 세웠다.

각국에는 마인이 습격했을 때를 대비해서 내가 개발한 통신기를 대여해주었다.

그 통신기를 써서 사전에 오그가 방문하겠다는 의사를 전달.

그리고 이동은 전부 부유 마법으로.

부유 마법을 쓰지 못하는 에리는 오그가 안고 가기로 했고, 배운 지 얼마 안 된 메이는 나와 시실리가 손을 잡고 보조해주기로 했다.

"부유 마법은 즐거워요! 신 오빠, 시실리 씨. 잘 부탁드릴게요!"

"후후, 기대되세요? 메이 공주님."

"예! 이런 여행은 처음이라 무척 기대돼요!"

"……사실은 여행이 아닌데 말이지……."

즐거워하는 메이를 보고 오그가 한숨을 내쉬었다.

"뭐, 겸사겸사잖아. 모처럼 연휴인데 우리 합숙에만 따라다니게 하는 것도 가엾고."

"그건 그렇군."

그리고 잠행을 하기로 했다.

신분이 알려지면 여러모로 골치 아픈 일이 많을 테고 혹시라도 노려질 가능성도 있으니까.

우리가 있으니 절대로 그런 일이 벌어지게 하진 않겠지만, 위험은 될 수 있는 한 줄이는 편이 좋다.

숙소도 평범한 여관을 잡기로 했다.

게이트를 써서 매일 집으로 돌아와도 상관없지만…….

"그러면 여행의 정취를 느낄 수 없잖아요!"

여행에 대한 기대감으로 흠뻑 젖은 에리가 바로 기각했다.

뭐, 마지막 날에는 게이트로 돌아올 거지만.

"좋아. 이걸로 대략적인 계획은 세웠군."

"계획이랄까…… 방침이겠지. 결국 여관도 예약 없이 전부 가서 보이는 대로 잡아야 할 테고."

"그것도 여행의 즐거움이잖아?"

오그도 이젠 포기했는지 대놓고 여행이라는 말을 꺼냈다.

하긴 혼자서 고집부려봤자 의미도 없으니까.

"합숙할 때 쓴 짐이 있으니까 따로 준비할 물건은 없겠지. 그럼 내일 아침 신의 집에서 집합한다. 오늘은 푹 쉬도록."

""""예!""""

이렇게 해서 눈 깜짝할 사이에 내일 집합 장소까지 정한 후, 오그가 나와 시실리에게 따로 말을 걸었다.

"신, 클로드."

"왜?"

"전하?"

"……날 새지 마라."

"너, 너 인마!"

"하으으……."

왜 하필 헤어질 때 그런 소릴 하는 건데?! 분위기 어색해지게!

"응? 너흰 내일부터 메이의 비행을 도와줘야 하잖아. 푹 쉬고 완벽한 상태로 와주길 바라는 오라버니의 마음이다."

"너, 너어……."

이게…… 오그의 진심……!

"아우구스트 님이 오라버니의 마음?"

"처음 들었어요!"

에리와 메이가 서로 얼굴을 마주 보는 옆에서 마리아가 한숨을 내쉬었다.

"바보짓 좀 그만하고 슬슬 가자. 그럼 전하, 저희는 이만 가볼게요."

"그래, 수고했다."

"자, 신. 가자. 시실리도 그만 빨개지고!"

"잠깐! 마리아, 기다려!"

"못 기다려! 자! 시실리도!"

"아, 기, 기다려! 마리아!"

결국 우리는 마리아에게 붙들려서 오그의 방에서 나왔다.

네 이놈…… 오그!

시실리가 부끄러워서 이쪽을 봐주지 않잖아!

"적당히 좀 해! 이 바보 커플!"

마리아가 그렇게 외치자, 우리를 안내하는 병사가 웃음이 터지려는 걸 참는 게 보였다.

네, 네 이놈…….

◆

신을 비롯한 얼티밋 매지션즈의 멤버들이 나간 방에는 아우구스트 본인과 엘리자베트와 메이만 남았다.

"하아…… 이제야 조용해졌군."

"떠들썩했던 원인은 주로 오라버니랑 신 오빠였는데요."

"정말로요. 그런 아우구스트 님은 신 씨와 함께 있을 때밖에 못 봤답니다."

엘리자베트는 신과 아우구스트의 사이가 좋은 걸 여전히 부러워했다.

"야, 에리. 너도 적당히 좀……."

"후훗, 알아요. 신 씨가 시실리 양에게만 관심이 있다는 건."

아우구스트가 오해를 풀려하자, 예상치 못한 대답이 돌아왔다.

"그럼 왜……."

"신 씨가 부러웠거든요. 아우구스트 님은 신 씨에게 마음을 열고 계시니까요."

"그런가?"

"늘 전 내버려 두고 신 씨하고만 즐겁게 놀고 계시고."

"음…… 그건…… 미안."

"하지만 합숙에서 앨리스와 린이 허물없이 대해준 덕분에 이제야 저도 아우구스트 님의 기분을 이해했어요."

합숙에서 궁극 마법 연구회의 여성진과 함께 있었던 엘리자베트는 자신을 어렵게 대하지 말아 달라고 부탁했다.

하지만 그녀는 공작 가문의 영애다.

보통은 태도를 바꾸지 않는 게 당연하겠지만, 지금까지 신과 아우구스트를 지켜봐 온 여성진은 그녀의 부탁을 선뜻 받아들이고 대등하게 대해주었다.

"저희 가문은 귀족 중에서도 가장 신분이 높은 공작가인걸요. 아무리 편히 대해달라고 해도 지금까지는 태도를 바꿔주는 분이 없었어요."

"그래. 나도 그랬지."

하물며 아우구스트는 신분제의 정점인 왕족이었다. 대등하게 대해주는 건 아버지인 디세움과 어머니, 여동생 정도밖에 없었다.

"기뻤어요. 또래의 동성 친구들과 같은 입장에서 대화를 나누는 것도. 친구들과 잠옷을 입고 소란을 피우는 것도. 합숙 도중 비는 시간에 다 같이 쇼핑을 한 것도요."

"……그런 일도 있었던 거냐."

"예. 그러니 지금이라면 아우구스트 님의 마음을 이해해요. 신 씨뿐인걸요. 아우구스트 님을 그런 식으로 대할 수 있는 분은."

알스하이드 왕국의 국왕인 디세움은 신이 어릴 때부터 신분을 숨기고 만나왔다.

그래서 디세움이 멀린이나 멜리다 쪽 친척일 거라고 철석같이 믿었던 신은 그의 아들인 아우구스트를 만났을 때도 사촌이라는 인식밖에 들지 않다 보니 대뜸 허물없이 대했다.

그 후로 두 사람은 항상 바보처럼 소란을 피우는 친구가 되었고, 아우구스트 본인은 그 관계가 너무나도 즐거워서 견딜 수가 없었다.

"다른 녀석들에게도 늘 허물없이 대해달라고는 하는데 말이지."

"왕족이신걸요. 그건 무리랍니다."

아우구스트는 연구회의 멤버들도 자신을 신처럼 대해주길 원했지만, 아무래도 거기까진 이루어지지 않았다.

"그러니 아우구스트 님이 신 씨와의 대화를 즐거워하시는 건 잘 알아요."

"……그럼 왜?"

"그래도 역시 신 씨가 부러웠거든요. 그래서 난처하게 해드리려고 장난을 좀……."

아우구스트는 엘리자베트의 예상치 못한 일면에 놀랐다.

"……네가 이런 면이 있단 건 처음 알았군……."

"어머, 그렇게 말씀하시면 저도 아우구스트 님이 이런 즐거운 분이실 줄은 몰랐는걸요."

"전 알고 있었어요!"

"넌 조용히 해."

"아으! 에리 언니, 도와줘요!"

아우구스트에게 머리를 움켜잡힌 메이가 엘리자베트에게 도움을 요청했다.

"후후, 메이는 좋겠네요. 아우구스트 님과 저희 말고도 대등하게 대해주는 사람이 있어서요."

엘리자베트는 메이를 구해주면서 그렇게 말했다.

"그렇지도 않아요……. 초등학원에서는 다들 역시 저랑 좀 거리를 두는 데다 아우구스트 오라버니는 심술궂고……. 하지만 신 오빠가 오빠가 되어준 건 기뻤어요!"

"후후, 다정한 오빠죠?"

"예!"

"너희들……."

"앗! 이런, 도망치죠! 메이!"

"예!"

"거기 서!"

세 사람은 시끄럽게 방 안을 뛰어다녔다.

얼마 전까지만 해도 어렴풋이 있었던 거리감이 지금은 전혀 느껴지지 않았다.

'신과 만난 뒤로 우리의 관계도 많이 변했군.'

아우구스트는 술래잡기를 하면서 속으로 그런 생각을 했다.

◆

얼티밋 매지션즈의 멤버들이 아우구스트의 방에서 시끄럽게 소란을 피울 무렵, 구 제국의 멸망한 어느 도시에 인간의 모습을 한 자들이 모여 있었다.

"제길! 빌어먹을! 뭐야! 이게 뭐냐고!"

"대체…… 무슨 일이 일어난 거지?"

"몰라! 애당초 저 장벽은 뭐야? 우리의 마법이 전혀 안 통하잖아!"

"몇 명이 성벽을 돌파했지?"

"잘 모르겠어……. 한 스무 명 정도?"

"고작 그것뿐인가……."

"그 녀석들도 거의 다 죽었어! 대체 뭐야? 그 자식들은! 완전히 괴물이잖아!"

"제국 밖에는 그런 녀석들이 있는 건가……."

스이드 왕국으로 쳐들어왔지만, 도리어 신 일행에게 격퇴당한 마인들이었다.

그들은 압도적인 힘으로 자신들을 물리친 신 일행에게 커다란 위기감을 느꼈다.

마인이 되고 강대한 힘을 손에 넣은 그들은 지금까지 자신들을 학대해온 제국 귀족들을 마음껏 유린해왔다.

하지만 그 힘을 지나치게 믿은 탓에 자신들을 뛰어넘은

힘을 가진 신 일행과 마주치자 두려움을 품은 것이다.

그리고 그 모습을 차가운 눈길로 바라보는 남자가 있었다.

'슈투름 님께서 위협을 느낄 정도의 인간이다. 너희가 상대가 될 리 없지.'

상사인 제스트에게 보고를 마치고 다시 마인 집단과 합류한 로렌스였다.

신 일행의 전력을 분석하기 위해 이 배신자들이 스이드 왕국을 침공하도록 유도한 장본인인 그는 지금까지 제대로 싸울 줄도 몰랐던 마인들이, 슈투름이 경계하는 신과 대등하게 맞서 싸울 거라는 생각은 눈곱만큼도 해본 적이 없었다.

하지만 신 일행이 상상을 초월할 정도로 강했던 것과 마인들이 약했던 것에는 낙담을 감추지 못했다.

신 일행이 지나치게 강한 탓에 약점 같은 걸 확인할 겨를도 없었다.

'그래도 마인이니까 쓸모가 있을 줄 알았는데…… 무력한 인간이 갑자기 힘이 생기면 자만하는 것도 무리는 아니겠지만…….'

결국 마인들이 한 일이라곤 일반병과 힘없는 시민들을 괴롭히면서 논 것뿐이었다.

애초에 로렌스는 슈투름에게 반기를 든 이 마인들을 용서할 생각이 없었다.

하지만 이번 일로 그 생각이 한층 더 강해졌다.

'이 녀석들은 전부 소모품으로 취급하자. 앞으론 얼마나 효율적으로 쓰느냐가 문제겠군…….'

그런 생각에 잠겨 있는 로렌스에게 마인 한 명이 말을 걸었다.

"이봐! 따지고 보면 이건 스이드에 침공하자는 말을 꺼낸 네가 원인이잖아! 책임을 져!"

'뭐?'

이 녀석은 지금 대체 무슨 소릴 한 거지?

원래는 알스하이드로 쳐들어가자고 말했던 걸 벌써 잊은 건가?

속으로 치미는 분노를 한숨과 함께 내뱉은 로렌스는 말을 건 마인을 돌아보았다.

그러자 주위의 마인들이 저마다 책망하는 눈으로 자신을 바라보고 있었다.

'이 녀석들…… 진짜 바보구나…….'

로렌스는 그런 마인들을 둘러보면서 입을 열었다.

"그게 무슨 소리죠? 스이드였으니 고작 이 정도의 피해로 끝난 게 아닙니까."

"뭐?! 너, 지금 말 다 했냐?!"

"제 말 좀 들어보시죠. 그놈들은 자신들이 알스하이드의 왕태자 일당이라고 말했습니다. 그러니 그놈들의 본거지는 알스하이드 왕국이겠죠. 당신들은 처음에 알스하이드로 쳐들어가자고 했잖아요."

"아…… 그랬나?"

벌써 잊은 거야?!

로렌스는 속으로 혀를 차면서 뒷말을 이었다.

"만약 알스하이드로 쳐들어갔으면…… 가장 먼저 그놈들이 튀어나왔을 겁니다."

"……그럴지도."

"그럼 어떻게 됐을까요? 지금쯤 우리는 전멸했을 겁니다. 전멸."

"……."

"그런 결과가 되지 않은 것만으로도 다행 아닙니까. 저도 설마 그런 놈들이 있을 줄은 꿈에도 몰랐는걸요."

'사실 알고 있었지만.'

사실은 알고 있으면서 그들의 전력을 파악하기 위한 소모품으로 이용했다.

로렌스는 속으로 그렇게 생각하면서 눈앞의 마인들이 자신에 대한 의심을 떨쳐내도록 설득을 계속했다.

"이번 일로 알스하이드에는 저런 놈들이 있다는 걸 알았습니다. 그럼 다음에는 알스하이드에서 멀리 떨어진 나라를 노리면 되겠죠. 이번에는 이웃 나라였으니 바로 출동했지만, 멀리 떨어진 나라라면……."

"그렇군! 놈들이 오기 전에 그 나라를 멸망시킬 수 있겠어!"

'그걸 이제 이해한 건가…….'

로렌스는 마인들의 낮은 이해력에 정나미가 떨어졌다.

'내가 무슨 인솔 교사냐…….'

그도 평민 출신이지만, 군에 입대해서 첩보부대에 배속된 뒤로는 여기저기에 잠입 조사를 하기 위해 어느 정도의 교양을 쌓을 기회가 있었다.

"굉장해! 너, 혹시 천재냐?!"

그럴듯한 의견을 내놓자마자 이런 반응이라니.

조금 전에는 성급하게 자신을 규탄하려고 한 주제에, 혹시 이 자들은 머리를 쓸 줄 모르는 걸까?

'그야 모르겠지…….'

로렌스는 자문자답하면서 뭐라 형언할 수 없는 허무감을 느꼈다.

제국에서는 평민들에게 교육을 시행하지 않는다.

그 결과가 바로 이렇게 논리적으로 생각할 줄 모르고 행동만 앞서는 단세포적인 인간들이었다.

"이봐! 그럼 다음은 어디로 쳐들어가야 좋을까?"

로렌스의 말에 납득한 마인들은 스스로 생각하는 걸 포기하고 다음 행동 지침을 요구하기 시작했다.

'제스트 대장님…… 저, 그만 돌아가면 안 될까요…….'

속으로는 눈물이 났지만, 여기서 수상한 행동을 보일 수는 없었다.

우연히 마인들의 신뢰를 얻은 로렌스는 이 입장을 이용해서 다음 행동으로 유도했다.

"흠, 알스하이드에서 멀리 떨어진 이 나라라면……."

마인들은 로렌스의 설명에 귀를 기울였다.

◆

"후후후. 크크큭…… 풋…… 아하하하하하!"

로렌스가 마인들에게 다음 지시를 내릴 무렵, 옛 제도의 성에서는 슈투름이 마인들이 스이드 왕국으로 쳐들어갔다가 신에게 가볍게 격퇴당하는 광경을 떠올리며 즐겁게 웃고 있었다.

"아니, 지금 생각해봐도 웃음이 나오네요. 그 어리석은 모습을 본 것만으로도 그자들을 살려둔 보람이 있었어요."

성의 옥좌에 앉아 즐겁게 웃는 마인들의 수괴, 올리버 슈투름.

그는 마인이 되면서까지 이루고 싶었던 비원, 제국의 붕괴와 소멸을 달성한 뒤론 그 어떤 일에도 의욕이 생기지 않는지 그저 지루한 나날을 보내고 있었다.

하지만 마침 배신한 마인들이 스이드 왕국을 침공했다는 소식이 날아왔다.

한동안 지루함에 시달리고 있었던 슈투름은 제스트가 올

린 그 보고를 듣자마자 원견(遠見) 마법으로 그 광경을 즐겁게 감상했다.

밀리아는 그 옆에서 제스트에게 질문을 던졌다.

"그 습격은 당신이?"

"예. 장래에 반드시 슈투름 님에게 방해가 될 신 월포드. 그의 실력을 확인하고 싶었습니다만……."

"……하지만 상상을 뛰어넘었다?"

"배신한 마인들에게 잠복시킨 로렌스가 겁에 질려서 떨더군요. 절대로 적대해서는 안 되는 상대라고."

"그런……가요."

제스트의 부하는 평민 중에서 우수한 자들만 추려서 배속한 첩보부대.

당연히 그 첩보부대의 일원인 로렌스도 우수한 병사였다.

그런 자가 공포에 질려서 몸을 떨었다니.

게다가 그 전투에 참가한 건 신 혼자만이 아니었다고 한다.

"그런 인간이 몇 명이나……."

원래는 전투 경험이 없는 평민이었다지만, 마인이 된 존재를 간단히 토벌할 수 있는 존재가 다수.

밀리아와 제스트에게는 완전히 예상을 벗어난 소식이었다.

"정공법으로는 무리겠지요. 특히 그 신 월포드는 슈투름 님이 아니면 상대할 수 없을 겁니다."

로렌스의 보고를 듣고 그렇게 추측했다.

밀리아의 판단도 큰 차이 없으리라.

그렇다면…….

"전투가 아닌 다른 측면에서 무너트릴 수밖에 없겠네요……."

그것도 과연 가능하기나 할까?

밀리아는 형언할 수 없는 불안감을 느끼며 옥좌에 앉은 슈투름에게 시선을 돌렸다.

"지금은 그걸 찾는 중입니다. 로렌스에게도 그런 의도로 지시를 내렸습니다."

"또 그자들을 이용하는 건가요?"

"예. 반대하십니까?"

제스트는 배신한 마인들을 이용해서 신 일행의 약점을 찾겠다고 말했다.

"반대? 무슨 농담을. 그자들은 슈투름 님을 배신했습니다. 사실은 저도 바로 그 자리에서 갈기갈기 찢어버리고 싶었습니다만."

하지만 밀리아는 목소리에 약간 살기를 담아서 대답했다.

제스트는 그 모습을 서늘하게 웃으면서 바라보았다.

"그럼 사양하지 않고 이용해보도록 하지요. 그런데 밀리아 님."

"뭐죠?"

"그게…… 그 실험의 진척 상황은……."

"아, 그……."

바로 조금 전까지 동료였던 자들을 이용하겠다고 단언했던 제스트가 약간 민망한 얼굴로 묻자, 밀리아도 얼굴을 붉히면서 대답했다.

"……아직 확실히는…… 그러니 좀 더 검증이 필요할 것 같습니다."

"그, 그렇습니까……."

그렇게 말한 밀리아는 대화를 중단하고 자신이 제안한 실험을 검증하기 위해 슈투름이 있는 옥좌로 다가갔다.

"어떻게든…… 성공했으면 좋겠군요. 이 실험의 결과로…… 우리 마인들의 장래가 결정될 테니 말입니다."

제스트는 쑥스러워하며 슈투름에게 말을 거는 밀리아를 바라보면서 그렇게 혼잣말을 중얼거렸다.

제2장 메이크 트러블

오그의 방을 나온 후, 나는 그대로 시실리를 집에 바래다 주었다.

진짜야!

결혼하기 전에 그런 짓을 하는 건 귀족들 사이에서는 딱히 드문 일이 아니라고 한다.

하지만 시실리와 바로 그런 짓을 하는 건 왠지 좀 아닌 것 같다고 할까…….

더 연인다워지고 서로의 마음이 더 깊어진 후에 하고 싶었다.

그런 고로 일단 집으로 바래다준 시실리와 마리아를 다음 날 우리 집으로 데려온 후, 다른 사람들을 기다렸다.

그때 시실리가 마침 무슨 생각이 떠올랐는지 할아버지와 할머니에게 말을 걸었다.

"그러고 보니…… 할아버님, 할머님."

"응? 왜 그러니?"

"허허, 말해보려무나."

"저희가 각국을 순회하는 동안에 클로드 영지에 있는 저택을 자유롭게 쓰셔도 괜찮아요."

우리가 각국에 게이트를 설치하고 연합 참가 회담을 나누는 겸 여행을 떠난 사이에 클로드령(領)의 저택을 자유롭게 써도 된다는 말을 꺼냈다.

"음? 그래도 괜찮겠느냐?"

"예. 신 군과는 그게…… 약혼을 해서 이제 두 분은 저희 가족이 되셨으니 이 정돈 당연하죠."

"정말 괜찮겠니? 클로드의 온천은 무척 기분 좋았으니 사양하지 않고 마음껏 이용할 생각이다만."

"예. 고용인분들께도 그렇게 전했더니 무척 기뻐하셨어요. 영웅님의 시중을 들고 싶다면서요."

"그럼 온천만이라도 이용해볼까. 아, 그리고 우리 집 고용인들도 몇 명쯤 데려가도 괜찮겠니? 가끔은 느긋하게 쉴 시간을 주려는 의미에서."

"물론 괜찮죠."

"괜찮으시겠습니까? 멜리다 님."

그러자 옆에 있던 시녀장 마리카 씨가 그렇게 질문했다.

항상 월포드가(家)를 위해 열심히 일해 주는 그들에게 휴가를 제공하는 건 당연한 일이라고 생각하는데, 이 세계에서 고용인들의 복리후생을 보장해주는 건 일반적인 일이 아닌 걸까?

"시실리가 괜찮다고 했으니 사양하지 마. 그리고 너희에게는 신세를 졌으니 가끔은 느긋하게 온천욕을 즐기는 것도 나쁘지 않겠지."

"그렇습니까. 그럼 감사히 받들도록 하겠습니다. 작은 마님, 감사합니다."

"자, 작은 마님……."

내가 약혼한 뒤부터 우리 집 고용인들은 시실리를 작은 마님이라고 부르기 시작했다.

아직 익숙하지 않은지 시실리는 그렇게 불릴 때마다 얼굴이 빨개져서 머뭇거렸다.

"그렇게 됐으니 멀린, 부탁해."

"……난 승합용 마차가 아니다만……."

이건 게이트를 쓰는 사람의 공통적인 고민일까?

할아버지는 이동 수단으로 부려 먹히는 것에 약간 의문을 느낀 모양이었지만, 그래도 할머니를 거스를 수는 없었다.

……할아버지…… 강하게 살아줘!

"하아, 좋겠다……. 나도 작은 마님이라고 불리고 싶어."

그러자 마리아가 갑자기 한숨을 내쉬며 그런 말을 꺼냈다.

"마리아네 집은 백작가지? 약혼자는 없어?"

"우리 집은…… 스스로 결혼 상대를 찾는 게 가훈이라……."

"뭐야 그 가훈은. 귀족치곤 특이하네?"

"옛날에 원하지 않은 상대랑 결혼할 뻔한 선조 님이 계셨거든. 그분에겐 연인이 있었는데 그 사람이랑 야반도주를

해버리는 바람에…… 게다가 그 선조 님은 어지간히 유능한 여성이었는지 가문으로서도 손해가 이만저만이 아니었다나 봐. 그래서 이럴 거면 차라리 결혼은 강요하지 말자는 게 가훈이 돼 버린 거야."

"그, 그런 드라마가……."

"덕분에 우리 집 사람들은 혼기만 다가오면 난리야. 오라버니랑 언니도 상대를 찾느라 고생하고 있고."

"그렇구나……. 고생이 많겠네……."

메시나 백작가의 드라마라…… 대체 무슨 일이 있었던 걸까?

그런 생각을 하는 사이에 다들 모였다.

"신 오빠, 안녕하세요!"

"안녕, 메이. 그러고 보니 우리 집에 오는 건 처음이지?"

"예! 지금까지는 오라버니가 심술을 부려서 못 왔어요……."

"……그래. 앞으로는 언제든지 와. 오그는 신경 쓸 필요 없으니까. 디스 아저씨도 자주 들락날락하는걸."

"예!"

지금까지 오그에게 속느라 우리 집에 못 왔던 것 같으니 앞으로는 언제든지 오라고 말해두었다.

……왠지 조만간 왕비님도 올 것 같은 기분이 든다. 아직 만난 적은 없지만.

"안녕하세요, 여러분. 오늘부터 잠시 신세를 지겠습니다."

메이에 이어서 에리도 왔다.

그러고 보니 에리에게 줄 물건이 있었다.

"응, 안녕. 에리. 일단 이것부터 받아."

"뭐죠? 그 망토는?"

"이건 온도 조절이 가능한 망토야. 하늘을 날아서 갈 때는 체온을 많이 빼앗기니까 이게 필수거든."

그렇게 말하고 다들 걸치고 있는 온도 조절 기능과 광학 미채가 부여된 망토를 건넸다.

"온도 조절 기능이 부여된 망토라니…… 이게 대체 얼마죠?"

"응? 직접 부여한 거야. 망토 자체는 그리 비싸지도 않았어."

"이 망토도 그렇고 여러분이 평소에 입으시는 전투복도 그렇고…… 얼티밋 매지션즈의 장비는 비상식적인 물건이 많네요……."

"역시 그렇지?! 신 군이랑 같이 있으면 그런 감각이 마비된다니까~."

앨리스의 발언에 모두 고개를 끄덕였다. 난 다른 집의 마도구 사정은 잘 모르겠다. 일반적인 마도구 상점도 처음 왕도를 산책할 때 들른 이후로는 한 번도 안 가봤고.

"이 집에도 난생처음 보는 마도구가 잔뜩 있고."

토니가 집 안을 둘러보면서 그렇게 말했다.

"화장실은 충격적이었어. 이제 우리 집 변기로는 뭔가 좀 부족한 것 같아."

"맞아!"

"그건 참 충격적이었지~. 상품화 예정은 없어? 그럼 우리 호텔 변기도 전부 그걸로 바꿀 텐데~."

린과 앨리스와 유리가 말하는 건 온수 세정 기능이 달린 변기였다. 이른바 비데라는 거지.

그걸 모두에게 처음 선보였을 때의 반응이 재미있었던 기억이 났다.

"아, 신. 그 변기 말인데…… 톰이 그 상회를 세울 때 같이 팔자고 하던데, 어쩔 거니?"

"결국 그 상회는 어떻게 되는 거야?"

"널 대표로 세우고 실질적인 경영은 시실리의 오라비인 로이스와 앨리스의 아버지가 맡기로 했단다."

"와, 전부 지인이네."

"이런 일은 지인들과 시작하는 편이 좋아. 신뢰할 수 있으니까. 사업이 확장되면 그때그때 새로 고용하면 그만이지."

"아! 나도 그 이야기 들었어! 아버지가 급료가 어마어마하게 올랐다고 엄청 기뻐했어!"

"흐응…… 난 처음 들었는데."

"넌 돈을 버는 것보다 더 중요한 일이 있잖니. 전부 혼자 떠안을 필요는 없단다."

전생에서도 피고용자였으니 경영에 관해선 전혀 모르겠다.

"적재적소라는 거네."

"그래. 넌 인류를 위해 똑 부러지게 일하고 오렴."

"알았어. 할머니."

벅찬 일에 끙끙대며 고민할 필요는 없다.

그런 건 잘하는 사람에게 맡기면 된다.

뭐…… 그런 부분도 전부 할머니에게 맡기고 있지만.

"그건 그렇고 변기는 어떻게 할 거니?"

"아, 톰 아저씨한테 그렇게 하라고 전해줘."

"알았다. 멀린, 당신도 뭐 좀 해줄 말 없어?"

"허허…… 당신이 전부 말해버려서……."

"하, 할아버지의 기분은 이해해!"

"……그래, 넌 인류의 희망이 될 테니 힘내려무나."

"고마워, 할아버지. 그럼 오그, 슬슬 가자."

"그래. 그럼 메이를 잘 부탁한다."

"신 오빠라면 문제없을 거예요!"

"좋아. 그럼 얼티밋 매지션즈, 각국과의 교섭을 위해 출발한다.

""""예!""""

"여행이 중심이지만 말이지."

"분위기 깨는 소리 좀 하지 마."

그렇게 우리는 알스하이드의 왕도를 떠났다.

"와아! 기분 좋아요!"

내가 하는 일이라곤 부유 마법으로 일행의 중력을 차단하는 것뿐.

그러면 공중에 둥둥 떠 있는 상태가 되고, 각자 추가로 바람의 마법을 쓰면 하늘을 자유롭게 날아다닐 수 있게 된다.

마력 제어를 익힌 메이도 바람을 일으키는 것 정도는 가능하니 연습하는 겸 스스로 하늘을 날게 했다.

"메이, 흔들거리고 있어. 좀 더 안정시켜 보자."

"이렇게요?"

"잘 하시네요, 메이 공주님."

"에헤헤!"

"저쪽은 즐거워 보여서 좋네요."

"응? 에리는 안 즐거워?"

"그런 건 아니지만…… 저만 아우구스트 님에게 안겨 있는 게 죄송하다고 할지, 부끄럽다고 할지……."

목소리가 바이패스로 연결되어 있어서 오그와 에리의 대화도 들렸다.

부유 마법으로 전원이 동시에 나는 걸 시험했을 때 바람 소리가 커서 서로의 목소리가 들리지 않는 문제점을 발견했다.

그래서 소리만 들리도록 바람의 마법을 응용해서 전원의 목소리를 연결한 것이다.

그러다 보니 오그와 에리의 대화도 이쪽에 고스란히 들렸다.

메이는 마법사로 각성해서 본인의 힘으로 하늘을 날고 있지만, 에리는 아니었다.

그래서 오그가 에리를 품에 안아 들고 이동하는 중이었다.
굳이 안을 필요 없이 손만 잡아도 되는데 말이다.
하지만 에리의 말로는 마법을 쓰지 못하는 상태로 하늘에 떠 있는 건 어지간히 무서운 일인 모양이었다.
그래서 오그가 에리를 안아 들었다.
에리가 그렇게 부탁했을 때 거절하려는 기색이 없었던 걸 보면 오그 자신도 바라는 일이었나 보다.
센스 없이 굳이 말하지는 않았지만.

이번에 방문할 나라는 총 세 곳.
스이드 왕국은 제국의 남쪽, 알스하이드 왕국의 동쪽과 국경을 맞대고 있다. 그 스이드 왕국의 동쪽에서 제국의 남동쪽과 국경을 맞대고 있는 담 왕국. 그 북쪽에서 제국의 동쪽에 국경을 맞대고 있는 카난 왕국. 그리고 그 북쪽에서 제국의 북동쪽과 국경을 맞대고 있는 크루트 왕국이 우리가 방문할 나라들이었다.
제국의 북쪽은 바다다.
이번에는 스이드 왕국을 그대로 지나쳐서 먼저 담 왕국을 방문하고, 이어서 차례대로 다른 나라들을 순회할 예정이었다.
스이드 왕국은 요전에 갔을 때 국왕 폐하와 연합에 관한 대화를 나눴다.
그리고 마인에게 입은 피해를 부흥하느라 바쁠 때니 관광

목적으로 들를 수는 없었다.

저번에는 그쪽의 지원 요청이 있어서 국경을 그대로 통과했지만, 이번에는 정식 절차를 밟아서 국경을 넘기로 했다.

광학미채를 써도 상관없지만, 그 방식으로는 밀입국이 될 테고 차후에 오그가 다른 나라를 방문했을 때 문제가 생길 여지가 있었기 때문이다.

그래서 스이드 왕국과의 국경에서 시민증을 제시하고 국경을 넘은 뒤에 그대로 스이드 왕국을 가로질러서 담 왕국에 입국했다.

"이제 와서 할 말은 아니겠지만, 전하. 질문 좀 드려도 괜찮을까요?"

"무슨 질문이지? 코너."

앨리스가 담 왕국의 국경을 넘고 걸어서 왕도로 가는 도중에 오그에게 질문을 던졌다.

"솔직히 마인들은 별로 안 강했잖아요. 그냥 저희만으로도 토벌할 수 있을 것 같은데……."

앨리스의 의문은 지당했다.

솔직히 말해 마인들을 토벌하는 것뿐이라면 지금의 우리만으로도 충분했다.

하지만 오그는 그렇게 하지 않았다.

"흠, 무엇보다 마인이 어디에 나타날지 알 수 없으니 알스하이드를 포함한 다른 대국과 손을 잡고 마인들이 쳐들어와도 대항할 수 있는 상황을 만들고 싶어서지."

"하지만 그걸 위해 통신기를 제공했고, 지금은 연락이 왔을 때 당장 달려갈 수 있도록 하러 가는 거잖아요?"

앨리스의 질문에 편승해서 마리아도 질문했다.

다들 이번 행동에 제법 의문을 가지고 있었던 모양이다.

"그래. 마인에게 대항할 수 있는 건 솔직히 우리뿐이겠지."

"그럼 어째서?"

"이대로 가면 알스하이드의 독주 체제가 될 테니까."

독주 체제.

만약 이대로 알스하이드의 고등 마법학원생만으로 조직된 우리가 마인을 토벌했다고 치자.

그 세계를 구했다는 막대한 공적 앞에서 다른 나라들은 쓸데없는 질투심이나 위기감을 느낄지도 모른다.

그렇게 되면 이번에는 인간들끼리 다툼을 벌일지도 몰랐다.

그래서 다른 나라에도 마인과 싸울 기회를 주고 자신들도 세계의 위기를 벗어나는 데 일조했다는 명분을 줘야만 했다.

마인을 몇 개체라도 토벌했다면 그나마 다행.

토벌하지 못했다 해도 마인의 습격을 막아낸다면 그 자체로 공적이 될 테니까.

"……알스하이드의 독주 체제를 다른 나라들이 좋게 받아들이지 않을 테니 전공을 나눠주기 위한 연합이라는 뜻인가요?"

"가장 큰 이유는 각국을, 세계를 구하기 위해서다. 그 점은 착각하지 마. 다만, 알스하이드의 힘만으로 이 사태를 해결하면 나중에 문제가 될 가능성이 있다는 뜻이지."

"인류 존망의 기로인데! 대체 뭘 질투하는 건지!"

"그게 국가이고, 인간이라는 거다."

누군가가 위업을 달성하면 그걸 질투하는 사람은 반드시 나오기 마련이다. 참 성가시게도.

오그의 설명을 들은 일행은 화를 냈다.

"어째 조용한걸? 신. 너라면 분명 「뭐야 그게!」라면서 화를 낼 줄 알았다만."

하지만 나는 그 이야기에 납득하고 있었다.

그게 신기하게 보였는지 오그는 오히려 내 반응에 의문을 드러냈다.

"아…… 어느 정도는 예상하고 있었어."

"호오?"

"아마 마인들은 우리 힘만으로 토벌할 수 있을 거야. 하지만…… 당장 마인의 침공을 두려워하는 주변 나라들은 고마워하겠지만, 직접적인 위협을 느끼지 못하는 다른 나라들도 과연 그럴까 하는 생각이 들더라고."

"흠, 역시 대단하군. 거기까지 예상하고 있었다니."

"정말로요……. 전 아우구스트 님의 설명을 들어도 아직 좀 납득이 가지 않는데요."

"저도 머리로는 이해하고 있습니다만……."

"소인도 감정으로는 그다지 승복할 수가 없구려."

알스하이드의 고위 귀족인 에리와 오그를 따라다니면서 이런 화제를 자주 접했을 토르와 율리우스도 약간 미묘한 얼굴이었다.

솔직히 인류를 구한 뒤에 생트집을 잡으면 참기 어렵겠지만, 그럴 가능성이 존재하는 이상 완전히 무시할 수는 없으리라.

"뭐, 그것도 포함에서 엘스, 이스와도 교섭을 할 거니까 그렇게까지 되진 않겠지."

오그가 그렇게 말하는 도중에 담 왕국의 왕도에 도착했다.

"어서 오십시오, 담 왕국에. 시민증을 확인해 봐도 괜찮겠습니까?"

"여기."

"확인합……?!"

"위에도 이야기가 전달됐겠지? 될 수 있으면 곧 만나 뵙고 싶다만."

"자, 잠시만 기다려 주십시오!"

왕도의 출입을 담당하는 병사가 오그의 시민증을 보자마자 뒤로 돌아가서 상사로 보이는 인물을 데려왔다.

왕족인데 시민증이라…… 뭐, 시민증 자체가 신분증명서의 통칭이긴 하지만.

"방문을 환영합니다. 자, 이쪽으로 오시길."

그리고 그는 우리를 안쪽으로 안내했다.

"다시 한 번 환영의 뜻을 전하고 싶습니다. 아우구스트 전하."

"그래, 신경 쓰게 해서 미안하군."

"아니요, 저기서 전하의 정체가 밝혀졌다간 여러모로 문제가 됐을 테니까요."

배려심이 있는 사람이네.

이번에는 몰래 움직이는 거라 알스하이드의 왕태자라는 사실이 주위에 밝혀지면 여러모로 귀찮은 일이 벌어졌을 테니 말이지.

"그럼 왕성에 사람을 보내겠습니다. 일행분들도 가시겠습니까?"

"아니, 이번에는 나 혼자 가지. 일단 호위로 이 둘은 동행할 거다."

오그는 그렇게 대답하면서 토르와 율리우스를 가리켰다.

둘 다 처음부터 그럴 생각이었는지 묵묵히 고개를 끄덕였다.

사실 지금 오그의 전투력은 이 두 사람보다 위다.

오그에게 해를 끼치려면 얼마나 강한 사람이 와야 할지 감도 안 잡힐 정도로.

하지만 그것과 이건 별개의 문제다. 일국의 왕태자가 호위도 없이 다니면 얕보일 가능성이 있을 테니까.

그래서 호위를 대동하려는 모양이다.

……사실 이 셋이면 성이라도 함락할 수 있는 전력인데 말

이지.

잠시 왕도의 경비병 대기소에서 기다리고 있자 전령병이 마차를 타고 왔다.

"그럼 다녀오마. 집합 장소는 어디로 정하지?"

"딱히 정하지 않아도 될 것 같은데. 마력 탐사로 우리를 찾을 수 있잖아?"

"그건 그렇군. 그럼 나중에 보자."

"응, 묵을 곳은 잡아둘게."

"그래."

그렇게 말한 오그는 토르와 율리우스를 데리고 마차를 타러 갔다.

"자, 그럼 오그가 오기 전에 묵을 곳을 정하고 거리나 구경하러 다녀볼까."

"예! 그런데 담 왕국은 어떤 나라예요?"

"글쎄?"

메이가 물어봤지만, 나는 그 질문에 대답해줄 수 없었다.

그야 나도 전혀 모르는걸!

"신은 진짜 세상 물정을 전혀 모르는구나~."

"예…… 죄송해요……."

"응? 아, 아뇨! 메이 공주님은 어쩔 수 없죠! 아직 어리신데다 외국인 걸요."

"그런가요?"

"그런 거야?"

난 알스하이드가 어떤 나라인지조차 몰랐지만, 초등학원에서 이웃 나라들 정도는 가르치지 않나?

"응. 초등학원에서는 수업에서 외국을 자세히 다루지 않아. 중등학원부터 가르쳐."

"……난 초등학원이랑 중등학원도 안 다녔는데……."

"아…… 미안……."

"아니야, 괜찮아. 그래서? 담 왕국은 어떤 나라인데?"

어째 내가 쓸쓸한 과거를 보낸 것 같은 기분이 드니 화제를 바꾸자. 응.

"담 왕국은 작지만, 역사적으로는 꽤 유서가 깊은 중요한 나라야. 아무튼 이스 신성국이 생기기 전에는 창신교의 총본산이 있었던 곳이니까."

"오, 그래?"

"이스 신성국이 생겨서 창신교가 직접 나라를 다스리게 된 후에는 총본산도 그쪽으로 옮겨갔지만 말야. 지금도 당시의 대성당 같은 건물이 그대로 남아서 관광 명소가 됐어."

"와, 그랬군요!"

"예, 그리고 순교자 이스도 이 나라 출신이라 아마 생가도 공개됐을 거예요."

"가보고 싶어요!"

"그럼 묵을 곳을 정한 뒤에는 이스의 생가와 교회를 보러 다닐까요?"

"예!"

마리아의 자세한 설명 덕분에 이 나라에 관해 대충 알게 됐다.

그렇군. 창신교의 전 총본산이 있는 건가.

그래서 이 나라는 옛날부터 어떤 교회가 관광 명소로 삼았다고.

어쨌든 담 왕국에서의 일정이 정해졌다.

먼저 묵을 곳을 찾고, 그 후에는 순교자 이스의 생가와 대성당을 방문.

약간 숙박비가 비싸더라도 안전을 가장 우선시해서 왕도의 중심에 있는 여관에 방을 잡았다.

여덟 명이 묵을 수 있는 큰 방을 둘. 남녀는 따로따로.

이공간 수납 마법이 있어서 두고 갈 짐이 없는 우리는 성으로 간 셋을 제외한 열한 명 전원이 바로 거리로 나왔다.

과연 전 총본산이 있었던 도시답게 여기저기에 교회가 보였고, 거리에도 온화한 인상의 사람이 많아 보였다.

"그건 그렇고 전 총본산인데 왜 모르는 거야?"

"우리 집에선 종교 이야기 같은 건 전혀 안 하거든."

"어? 그래?"

"응, 할머니는 현실주의자라 신에게 의지하는 것보단 문제는 자신의 힘으로 해결하려는 사람이고 할아버지는……."

"멀린 님은?"

"옛날에 '신이건 뭐건 덤벼!'라고 외친 적이 있다고 할머니한테 들었어."

"……그건 이 나라에선 말하지 않는 편이 좋겠다."

"응, 그래야겠지."

그래서 이스 신성국에 관한 것도 마법학원의 수업에서 처음 알았다.

"가족들이 그러니 종교가 있다는 것조차 몰랐지."

"어, 그럼…… 결혼식 같은 건 어떻게 하죠?"

그러자 시실리가 불안한 얼굴로 물었다.

"교회에서 하지 않을까?"

"그, 그렇겠죠! 교회에서 하겠죠!"

우리 집이 종교와 인연이 없어서 결혼식을 어디서 해야 할지 걱정됐나 보다.

그래도 결혼식이나 장례식은 전부 교회에서 한다고 들은 적이 있긴 하지만.

"다른 데서도 할 수 있어? 결혼이나 제사는 모두 창신교의 신자(神子)가 맡는다고 들었는데."

"아뇨! 교회에서 하죠! 전혀 문제없어요!"

"그, 그래?"

참고로 창신교에서는 성직자를 통틀어서 신자라고 부른다. 이건 창조신을 아버지나 어머니로 보고 성직자는 그 신의 자식이라 여기기 때문이다.

뭐, 창신교 내부에서는 사교라든가 추기경 같은 직함도 존재하는 것 같긴 하지만.

그렇게 대화를 나누는 사이에 이스의 생가에 도착했다.

“여기가…… 순교자 이스의 생가…….”

순수한 창신교의 신자인 일행은 감격한 얼굴로 그 집을 바라보았다.

“의외로 초라하네요!”

하지만 메이는 너무나도 정직한 감상을 말했다.

그야 그렇겠지.

순교자로 유명하긴 해도 원래는 일개 성직자에 불과한 사람이었다.

부유한 집안 출신이 아니라도 이상할 건 없었다.

“야, 메이. 속으로는 그렇게 생각해도 말로 하면 못써.”

“하으! 죄송해요…….”

내가 나무라자, 메이의 얼굴이 침울해졌다.

“잠깐…… 사람이 감격하고 있는데 찬물 좀 끼얹지 말아 줄래?”

“맞아~. 분위기 깨졌잖아~.”

아, 내 발언도 조심성이 없었나.

“미안.”

“죄송해요…….”

나와 메이는 마리아와 유리의 주의를 받고 사과했다.

하지만 진짜 초라했다.

뭐, 생가라는 건 대부분 이런 거겠지. 누군지는 기억이 잘 안 나지만 전생에서도 TV에서 유명인의 생가를 다루는 프로그램을 본 적이 있었는데 그때도 별 것 없었으니까.

아무튼 순교자 이스의 생가는 현재 박물관으로 바뀌어 있었고, 그와 인연이 있는 물건들이 유리 케이스 안에 전시되어 있었다.

뭐, 거의 다 생활용품들뿐이었다. 그야 생가니까 당연하겠지만.

그렇게 큰 편도 아니라 금방 한 바퀴 둘러보고 이번에는 교회를 순회하기로 했다.

유명한 교회들이 많은 것 같지만, 이왕 관광을 왔으니 가장 먼저 창신교의 옛 총본산인 담 대성당부터 가보기로 했다.

대성당과 가까워질수록 인파가 늘어났다.

역시 관광명소답게 수많은 관광객이 밀려와서 그런 거겠지.

"이상하네. 전에 왔을 때도 이 정도로 사람이 많지는 않았는데."

하지만 전에 방문한 적이 있었던 마리아는 이 상황이 의아한 모양이었다.

"흐응, 그래? 그럼 왜 이렇게 붐비는 걸까?"

"내가 어떻게 알아."

"아, 저기 보이네요."

올리비아가 가리키는 곳에 큰 성당이 보였다. 그 주위에는 한층 더 인파가 붐볐다.

"와! 진짜 사람들이 엄청 모여 있어!"

"진짜 많네. 대체 뭐지?"

앨리스는 놀랐고 마리아가 투덜거렸다.

댕…… 댕…… 댕…….

그 순간, 대성당의 종이 울렸다.

그리고 정문이 열리더니 방금 결혼식을 올린 신랑 신부가 안에서 나왔다.

"와! 이거구나! 혼잡한 원인!"

"대성당에서 결혼식이라니…… 어딘가의 귀족이겠네. 흔한 일은 아니야."

"그럼 우린 우연히 그런 날에 방문했다는 거네~."

"멋져……. 나도 이런 결혼식을 올렸으면……."

"마크, 힘내라."

"린 씨, 말도 안 되는 소리 마세요! 금전적으로도, 신분상으로도 무리임다!"

여성진은 황홀한 얼굴로 넋을 잃었고, 그중 올리비아가 이런 결혼식을 올리고 싶다는 말을 꺼내자 마크가 크게 당황했다.

"그러고 보니 에리랑 오그는 어디서 식을 올릴 거야?"

"그야 당연히 알스하이드 대성당이죠."

이쪽은 알스하이드에 있는 대성당에서 올리기로 정해진 모양이다.

"알스하이드 왕족은 거기서 식을 올리는 게 전통이랍니다. 그만큼 멋진 교회이기도 해요."

"왕도에 있는 대성당도 굉장하대. 가본 적은 없지만."

"예, 멋진 곳이랍니다. 이 담 대성당에 결코 뒤처지지 않을 정도로요. 다만, 역사적인 배경의 차이로 이곳만큼 유명하지는 않지만요."

왕도로 가면 한 번 들러볼까.

시실리에게 시선을 돌리자, 그녀는 나와 팔짱을 낀 채로 결혼식을 넋을 잃고 바라보는 중이었다.

역시 이런 성대한 식을 동경하는 걸까?

"시실리도 이런 데서 결혼식을 하고 싶어?"

"예? 아뇨, 그게…… 역시 좀 동경한달지…… 부럽달지……."

"흠…… 그래. 그럼 힘내서 세계를 구한 다음에 이런 곳에서 식을 올릴까?"

"신 군……."

이런, 효과가 끝내줬나 보다. 시실리는 나를 꽉 껴안고 감격했다.

나는 그런 그녀의 머리를 쓰다듬어주면서 결혼식으로 시선을 돌리고 다시 한 번 이 세계를 구하겠다고 다짐했다.

"칫…… 더러운 커플 녀석들."

"나도 저런 말 좀 들어보고 싶어!"

"우린 식장보다 상대부터 찾아야겠지~."

""""하아…….""""

솔로인 마리아, 앨리스, 유리의 한숨 소리가 들렸다.

괜찮아! 너희라면 문제없을 거야!

아마도…….

담 대성당에서 열린 결혼식을 견학한 뒤에는 왕도를 돌아다니면서 여러 교회를 보고 다녔다.

하나같이 유서 깊은 교회라는 느낌이라 다들 만족한 것 같았다.

"하아…… 굉장했어요."

점심을 먹으려고 들어간 식당에서 식사를 마친 우리는 교회들을 본 감상을 늘어놓았다.

에리는 보고 싶었던 교회를 가봐서 그런지 상당히 만족한 모양이었다.

그리고 난 이 나라를 잘 몰랐던 만큼 모든 게 신선하게 보였다.

"이 나라는 교회가 유명하댔지? 다른 나라는 또 뭐가 유명해?"

알스하이드의 존재조차 몰랐으니 다른 대국들은 그렇다쳐도 수업에서 다루지 않은 소국들은 이름조차 몰랐다.

“흠, 다음에 갈 카난 왕국은 직물이 유명해요.”
“목축업이 번성했어. 왕국의 인구보다 양이 더 많을 정도래.”
“가끔 그 양들이 마물이 되기도 하니까 강한 사람이 아니면 양치기가 못 된다고 들은 적이 있어!”
“울끈불끈 양치기…… 푸흡.”
뭔가 이상한 상상이 들었는지 린이 웃음이 터지려는 걸 참으면서 어깨를 떨었다.
“마물이 된 양의 털은 마력이 담겨 있어서 방어구에도 쓰임다.”
“양이 잔뜩 있어서 양고기 요리도 많아요.”
마크는 공방의 후계자답게 마도구의 재료도 되는 양털의 명산지라고 말했고, 올리비아는 집이 식당이라 그런지 명물 요리를 화제로 꺼냈다.
“흐응, 다들 잘 아네.”
“네가 아는 게 너무 없다고 생각하는데.”
“그야 월포드 군은 얼마 전까지 외톨이였으니~.”
토니가 기가 막힌 목소리로 말하자, 유리가 반박해주었다.
하지만 그 말을 들은 모두의 시선이…….
“……왠지 동정하는 시선이 좀 짜증 나는데…….”
다들 합숙 중에 할머니에게 나에 관한 이런저런 이야기를 들은 모양이었다.
어릴 때 혼자서 하는 놀이에 열중했다든가…… 같은. 당시에는 진짜 아무렇지도 않았는데 다들 이렇게 동정하는 눈으로 바라보면 정말로 내가 외로운 유년 시절을 보냈던 것 같은 착각이 들었다.

"딱히 외롭다고 느낀 적 없었거든."

"그 대신 이런 세상 물정 모르는 철부지가 탄생했다는 거네."

"지금은 이렇게 친구들이 많으니까 상관없잖아요."

마리아의 쓸데없는 한 마디에 시실리가 반박했다.

그 다정함에 구원받고 있자니 불현듯 떠오른 게 있었다.

"그래, 벌써 학창 생활의 목표 중 하나는 달성했지."

"목표?"

"친구 만들기."

""""……""""

어라? 또 동정하는 시선이…….

"왜 그래? 마치 장례식에 참가한 것 같은 얼굴로."

모두의 연민하는 시선에 괴로워하고 있자, 회담을 마친 건지 마력 탐사로 우리가 있는 곳을 찾아온 오그 일행이 나타났다.

"오, 고생했어. 회담은 어땠어?"

"스이드 왕국에서의 정보가 이미 퍼져서 그런지 내 제안에 득달같이 달려들더군."

회담은 순조롭게 끝난 듯했다.

"그래. 그럼 다른 두 나라도 비슷하려나?"

"아마도. 알스하이드에 있는 대사들이 통신기로 정보를 보냈다고 했으니 틀림없이 다른 두 나라도 정보를 접했겠지."

"그럼 크게 고생하진 않겠네."

"어, 그런데 다들 왜 이래? 무슨 일 있었어?"

"아니…… 내 학창 생활 목표를 듣자마자 이러더라."

"목표? 상식을 배우는 거? 상식을 배우기는커녕 실시간으로 파괴하는 중인 것 같다만……."

"그쪽이 아니거든!"

"그럼 뭔데?"

"친구 만들기."

"……."

어라? 나처럼 친구가 없을 오그까지 동정하는 눈이 됐잖아?

"아니, 너도 친구 없다며."

"너랑 똑같지는 않아. 대등한 친구가 없었다는 뜻이지 에리와 토르와 율리우스 같은 지인은 얼마든지 있었어."

"신 님처럼 완벽한 외톨이는……."

"아무래도 동정을 금할 수가 없소이다."

토르랑 율리우스까지!

"이, 일단 말해두겠는데! 마법 훈련이나 마도구 제작에 몰두하느라 외로움을 느낀 적은 없었다고!"

"혼자서……."

"신 군! 전 앞으로 언제까지나 함께 있을 테니까요!"

시실리가 필사적으로 내 팔을 끌어안고 말했다. 그 배려는 고맙지만…… 외롭지 않았던 건 진짜데.

"할아버지한테 마법을 배우고, 할머니한테 마도구 제작을 배우고, 미셸 아저씨한테 흠씬 두들겨 맞고, 짬짬이 사냥하러 다녔거든? 게다가 집에 돌아오면 지크 형이랑 크리스 누나가 싸우고 있었으니 외로워할 겨를 같은 건 전혀 없었어."

"뭐야! 그 꿈 같은 환경은!"

"하긴…… 그런 환경이라면 외로워할 겨를 같은 건 없었겠네요."

"하와와, 신 오빠 굉장해요!"

앨리스의 말대로 주위에서 보면 그야말로 꿈만 같은 환경이었으리라.

현자와 도사와 검성뿐만 아니라 기사단과 마법사단의 아이돌까지.

에리와 메이도 드디어 이해해준 것 같았다.

그런데도 내가 외로워했다면 할아버지와 할머니가 잘못한 것 같잖아? 그것만은 인정할 수 없었다.

"다들 이해해준 것 같으니 앞으로의 일정이나 정해볼까. 오그, 우린 관광명소를 거의 다 둘러보고 왔는데 넌 어쩔래? 에리랑 같이 거리라도 나가볼래?"

"흠…… 에리는 그래도 괜찮겠나?"

"물론이죠! 꼭 부탁드릴게요!"

가벼운 기분으로 제안했더니 에리가 득달같이 달려들었다.

"으, 응. 그럼 오그랑 에리는 그렇게 하기로 하자. 호위는?"

"지금의 나에게 필요할 것 같아?"

오, 자신만만한 대답이군.

"알았어. 그럼 둘이서 즐기다 와."

"우후후…… 데이트…… 둘만의 첫 데이트…… 우후후후."

오오, 에리가 실실 웃고 있다. 그러고 보니 왕자님과 공작 영애니까 평소에는 단둘이 있을 기회가 없었겠지.

"다른 사람들은?"

"우린 여자들끼리 돌아다녀 볼게. 선물도 사고 싶고."

"저기…… 저는……."

"올리비아는 마크랑 같이 다니고 싶지? 물론 방해 안 할게."

"미, 미안해요."

"사과하지 마……. 왠지 슬퍼지니까……."

이쪽은 이쪽대로 마리아가 절찬 자폭 중이었다.

"토르랑 율리우스는?"

"전하는 호위가 필요 없다고 하시니 남자끼리 다닐까?"

"그래도 괜찮겠습니까? 플레이드 님."

"플레이드 님이라면 틀림없이 여자를 꼬시러 가실 줄 알았소이다만."

"단체 여행 중에 여자를 꼬셔봤자 뭐해. 밤에는 여관으로 돌아와야 하는데."

즉, 토니는 혼자 왔다면 지금쯤 헌팅하러 나갔을 거라는 뜻인가.

그리고 밤에는 당연히 돌아오지 않았을 테고.

토니와 토르와 율리우스가 같이 움직이면 한 사람이 남는다.

“메이는 우리랑 같이 다니자.”

“그래도 괜찮나요? 저기…… 방해가 되진 않을까요?”

“그런 것까지 신경 쓰지 않아도 돼.”

“맞아요, 메이 공주님. 저희랑 같이 다녀요.”

“예!”

그렇게 각자 자유행동을 하다가 저녁에 여관으로 돌아오기로 했다.

나중에 온 오그 일행이 점심 식사를 마친 후에는 각자 거리로 흩어졌다.

“그럼 우리도 가볼까.”

“예.”

“예!”

우리는 다시 거리를 돌아다녔다. 아까는 교회만 보고 다녔으니 이번에는 선물 가게나 노점 같은 다양한 곳을 구경하러 다니기로 했다.

그리고 메이는 나와 시실리의 손을 한쪽씩 잡고 무척 즐거워했다.

"후후, 즐거워 보이시네요. 메이 공주님."

"예! 이런 식으로 손을 잡고 거리를 돌아다니는 건 처음이에요!"

하긴 왕족이니까. 마음 편히 거리를 산책하는 건 무리였겠지.

"메이는 왕도에서 학교 친구들이랑 놀러 다니진 않아?"

"예. 다른 애들도 전부 귀족 자제들뿐이거든요. 다들 거리를 자유롭게 돌아다녀 보는 게 꿈이에요. 모두에게 자랑할 게 생겼어요!"

왕실의 공주님이 다니는 학교쯤 되면 주위의 학생들은 당연히 귀족이나 큰 상회의 자녀들뿐이리라.

유괴 같은 범죄를 피하기 위해서라도 절대로 애들끼리 놀러 다니게 내버려 둘 리가 없다.

그런 아이들에게 거리를 자유롭게 돌아다닌 경험은 분명 좋은 자랑거리가 될 것이다.

"그러고 보니 오그랑 처음으로 왕도를 걸었을 때도 메이랑 반응이 비슷했었어."

"오라버니랑 이렇게 손잡고 다니신 거예요?"

"섬뜩한 소리 하지 마!"

"풋…… 아하하하."

"아하하하! 섬뜩하대요! 아하하하!"

우리는 이런 느낌으로 즐겁게 거리를 돌아다녔다.

"어라? 사람들이 모여 있네요?"

"정말이네. 뭐지?"

하지만 도중에 시실리가 인파를 발견했다.

무슨 구경거리라도 있나?

이런 것도 산책의 즐거움이라고 생각하며 가까이 접근해 봤다.

"너! 이쪽이 좀 잘 대해주니까 어디서 건방지게!"

"하아? 뭐가 잘 대해줬다는 건데?"

"그 얼굴로 헌팅이라니…… 웃기지도 않아!"

"맞아~. 아무리 그래도 그 얼굴은 좀……."

"논외."

"이, 이 년들이……."

소란의 중심에는 마리아와 앨리스와 유리와 린이 있었다.

대체 뭘 하나 싶었는데 아무래도 헌팅을 거절당한 남자가 화를 내고 있는 모양이었다.

"하와와! 언니들이 위기예요!"

"언니들보단……."

"……저 남성분들이 위기겠네요."

알스하이드의 왕도에서도 그랬지만, 시내에서는 기본적으로 마법 사용이 금지된다.

하지만 자신의 몸을 지키는 게 목적이라면…….

"자, 그럼 참극을 목격하기 전에 우린 다른 곳으로 가볼까."

"예. 가족에게 드릴 선물을 보러 가죠."

"어? 저기…… 내버려 둬도 괜찮아요?"

"괜찮아요."

""""끄어어어어어억!""""

아…… 결국, 강경 수단으로 나섰나 보군. 헌팅남들의 비명이 들렸다.

"하와와와……."

"재들도 좀 더 조신하게 굴면 좋을 텐데……."

"하하……."

다들 귀여우니 헌팅을 당할 때가 많겠지만, 아무래도 저런 거절방식은 좀…… 그야 당연히 상대가 화를 낼 만도 했다.

저쪽은 여자들뿐이니 내가 말을 걸면 오히려 문제가 더 커질 것 같아서 재빨리 그 자리를 벗어났다.

"오, 마크랑 올리비아다."

"즐거워 보이네요."

"팔짱 끼고 있어요!"

이번에는 마크와 올리비아를 발견했다.

두 사람은 시내에 있는 다른 커플들처럼 팔짱을 끼고 있었다.

그야말로 왕도적인 데이트였다.

소꿉친구라 오래 알고 지내서 그런지 행동거지도 무척 자연스러웠다. 개인적으로 굉장히 참고가 되었다.

"아! 오라버니랑 에리 언니예요!"

"어머. 우후후, 에리 양 기뻐 보이네요."

"그러게."

오그와 에리도 발견했는데, 특히 에리가 무척 기뻐 보였다. 역시 둘만 있게 해주길 잘했다.

이쪽도 소꿉친구라 분위기가 자연스러웠지만, 저래 봬도 둘 다 보통 신분이 아니란 말씀이야…….

저 두 사람이 타국의 왕태자와 공작 영애라는 게 알려지면 아마 큰 소란이 벌어지지 않을까?

오그와 에리 커플도 그렇고 올리비아와 마크 커플도 각자 즐거운 시간을 보내고 있는 것 같으니 굳이 말을 걸지는 않았다.

우리도 거리를 이곳저곳 돌아다니면서 가족들에게 줄 선물을 사고 슬슬 여관으로 돌아가려 한 순간, 마침 또 인파를 발견했다.

"설마 또 마리아 일행인가?"

"우리가 왜?"

또 헌팅남과 시비가 붙었나 싶었는데 오히려 당사자가 말을 걸어왔다.

"어라? 마리아?"

"그럼 저 인파는 뭐지?"

이 녀석들이 아니라면 대체 누구지?

궁금해서 가까이 가 봤다.

"잠깐! 먼저 말을 건 사람은 우리거든?!"

"무슨 소리야! 우리라구!"

"웃기지 마! 우리거든?!"

"잠깐만요……. 저기…… 싸움은……."

"우린 여관으로 돌아가고 싶은데 말이지……."

"이제 슬슬 그만해주면 좋겠소이다만."

""""당신들은 닥치고 있어!""""

""""옙!""""

소란의 중심에는 토니 일행이 있었다.

그리고 마을 처녀인 듯한 그룹과 누님 같은 그룹과 헌터 같은 그룹의 대표가 싸우는 중이었다.

진짜 왜 이렇게 끊임없이 말썽에 휘말리는 걸까…….

이야기에 귀를 기울여보니 아무래도 토니 일행은 그녀들에게 역으로 헌팅을 당한 모양이었다. 하지만 지금은 어느 쪽이 먼저 말을 걸었느냐로 다투는 중인 듯했다.

그건 그렇고 각 그룹이 노리는 취향이 참 노골적이네…….

"……저건 내버려 두자."

"응…… 여자 아홉 명은 벅차."

"누굴 노리는지는 뻔하니 그룹별로 한 명씩 갈라지면 될 텐데."

"그렇게 할 수 있을 리가 없잖아."

"왜?"
"여자의 자존심 때문에."
그건 또 뭐야…….
"조만간 알아서 도망치겠지. 먼저 여관으로 돌아가자."
"그래."
미안. 토니, 토르, 율리우스.
난…… 너희를 구해주지 못하겠어…….
""""두고 가지 마!""""
큭……! 미안…… 미안하다…….
난…… 여자의 싸움에 끼어들 용기가 없어!
우리를 본 세 사람이 그렇게 외쳤지만, 안타까운 마음을 품으며 뿌리쳤다.
"여러분이랑 있으면 재밌는 일만 일어나네요!"
게다가 메이까지 이런 말을 꺼내는 게 아닌가.
……디스 아저씨에게 대체 뭐라고 변명해야 좋지?
그런 생각을 하면서 여관으로 돌아가려 한 순간.
"야, 뭐야. 저 녀석은……."
"귀여운 애들만……."
"여, 여섯 명이나!"
지금 우리는 나를 빼면 여자만 여섯 명.
게다가 제각기 타입이 다른 미소녀들뿐이다.
주위에는 내가 그녀들을 거느리고 다니는 것처럼 보였나

보다.

"우후훗!"

"잠깐! 앨리스!"

"메이 공주님, 미안."

"린 언니?"

"린까지!?"

솔로 남성들의 시선이 모이자 앨리스가 웃으면서 갑자기 비어 있는 내 왼쪽 팔을, 린은 메이와 위치를 바꿔서 내 오른팔을 껴안았다.

"제길! 빌어먹을!"

"죽어! 폭사해버려!"

"저런 놈이 있어서 우리에게 여자가 안 오는 거야!"

아니…… 마지막의 그건 좀 아닌 것 같은데…….

그건 그렇고 앨리스와 린이라……. 기왕 팔짱을 낄 거라면 유리와 마리아 쪽이 더…….

"신 군, 지금 무슨 실례되는 생각하지 않았어?!"

"아, 아니? 안 했는데?"

위험했다! 여성에게 무척 민감한 화제를 건드릴 뻔했다.

간신히 위기를 모면하고 한숨 돌리자, 메이가 의아한 얼굴로 물어보았다.

"앨리스 언니랑 린 언니도 신 오빠랑 팔짱을 끼고 싶었던 거예요?"

"아니에요~. 주위의 반응이 재밌어서 그만."

"주위의 기대에 응해주는 건 상식."

"네가 무슨 개그맨이냐!"

야, 앨리스. 고작 그런 이유로 함부로 남자와 팔짱을 끼려고 들지 마.

그리고 린은 개그맨 기질이 있었던 거야?!

정말 뜻밖의 사실이라 내심 깜짝 놀랐다.

"앨리스 양? 린 양? 장난은 적당히 좀 하시겠어요?"

웃는 얼굴인데 얼굴이 웃고 있지 않다는 모순.

얼굴은 확실히 웃고 있는데 어째선지 전혀 그렇게 보이지 않는 시실리가 간담이 서늘해지는 목소리로 뒤에서 말을 걸었다.

"히익! 아, 알겠습니다!"

"자, 장난이 지나쳤어. 반성할게."

시, 시실리가 무서워…….

앨리스와 린도 황급히 내 팔에서 손을 뗐다.

린이 당황하는 건 처음 봤다.

그 정도로 무시무시했다.

이 박력…… 왠지 점점 아일린 씨를 닮아가는 것 같다.

"신 군?"

"아, 아무것도 아니야."

"그런가요. 그럼 어서 여관으로 돌아가죠."

……나도 언젠가는 세실 씨처럼 되는 걸까?

"신 오빠가 어마마마한테 혼나는 아바마마 같아요!"

……메이야, 웃는 얼굴로 정곡을 찌르는 건 제발 좀 참아 주지 않겠니?

결국 다양한 문제에 말려든 우리는 산책을 중지하고 다 같이 여관으로 돌아왔다.

"늦었군. 대체 뭘 하다 온 거야?"

"어머, 다들 같이 계셨던 거예요?"

"마침 잘 오셨습다. 이제 곧 저녁이 나올 겁다."

"어라? 플레이드 군이랑 다른 두 사람은요?"

그러자 먼저 온 오그 일행이 말을 걸어왔다.

여관의 식사는 건물에 딸린 식당에서 먹는 식이었다.

이제 곧 저녁 식사 시간이라 다들 방에서 나와 있는 모양이었다.

"아, 우리는 오는 길에 만난 것뿐이야. 그 전까지는 따로 다녔어."

"다른 세 사람은…… 뭐, 슬슬 오겠지."

앨리스가 그렇게 말한 순간, 토니와 토르와 율리우스가 허겁지겁 여관 문을 열고 안으로 들어왔다.

"너희들! 너무하잖아! 우리를 버리고 가다니!"

"맞아요! 진짜 너무하십니다!"

"험한 꼴을 당했소이다……."

우리를 발견한 세 사람이 악을 쓰며 따지고 들었다.

"그럼 너희는…… 여자 아홉 명이 싸우고 있는 곳에 뛰어들 용기가 있어?"

"윽! 그, 그건……."

응. 그야 있을 리가 없겠지.

"……난 무리였어……."

"……하긴 그렇겠지. ……화내서 미안하다."

"아니…… 나도 도와주고 싶긴 했는데…… 미안."

"아닙니다, 신 님. 저도 말이 지나쳤습니다. 확실히 누구든 무리였겠죠……."

"소인도 진심으로 무섭더구려……."

우리는 조금 전에 맞닥뜨린 무시무시한 상황에서 입은 상처를 서로서로 위로해주었다.

"그런 데서 모여 있지 말고 어서 앉아. 다른 손님에게 폐가 되잖아."

하지만 그 자리에 없었던 오그가 핀잔을 주었다.

젠장, 저 녀석은 그걸 못 봤으니까 저렇게 태연할 수 있는 거겠지.

"그보다 신의 입에서 무리라는 말이 나오다니, 대체 무슨 일이 있었던 거지?"

"아, 조금 전에 이 세 사람이 역헌팅을 당해서……."

난 그렇게 말하면서 토니와 토르와 율리우스에게 시선을

돌렸다.

“우린 셋이서 노점에서 음식을 사 먹거나 가족과 여친에게 줄 선물을 샀는데…….”

“슬슬 여관으로 가려고 한 참에 갑자기 여성분들이 말을 거시더군요.”

“세 그룹이 동시에 말이외다.”

“각각 세 명씩이었는데…… 저마다 자기들이 먼저 말을 걸었다면서 지들끼리 말싸움을 벌이기 시작하더라고.”

“굉장한 박력이었습니다. 그리고 곧 패싸움까지 벌어졌는데…….”

“……여자란 참 무서운 생물이더구려.”

패싸움?! 그 후에 그런 일까지 벌어졌던 거야?!

“요, 용케도 빠져나왔네…….”

“패싸움이 시작된 틈을 타서…….”

“신 님에게 배운 섬광 마법을 쓰고…….”

“신체 강화 마법을 써서 사력을 다해 탈출한 거외다.”

그, 그런 대탈출극을…….

“……진짜 험한 꼴을 당했구나.”

“진심으로 신 님에게 마법을 배워두길 잘했다는 생각이 들더군요.”

그런 상황에서 쓰라고 가르쳐준 건 아닌데 말이지…….

“내가 여자를 좋아하긴 해도…… 그런 모습은 보고 싶지 않았는데 말이지……."

토니는 한숨을 내쉬며 절실한 목소리로 중얼거렸다.

"플레이드 군이라면 그런 수라장은 한두 번쯤 겪어봤을 줄 알았는데!"

"그건 오해야. 코너 양."

"아, 미안……. 함부로 오해해서."

앨리스, 사실 나도 그렇게 생각했어.

"그렇게 되지 않도록 알아서 잘 조절했으니까."

"내 사과를 돌려줘!"

넌 조만간 누구에게 한 번쯤 찔릴 거다. 진심으로.

"하아…… 우리는 왜 이렇게 자주 사건에 휘말리는 걸까?"

"여자애들도 헌팅 당했지?"

"윽! 봐, 봤어?"

설마 봤을 줄은 몰랐는지 마리아가 당황한 목소리로 대답했다.

"격퇴하는 건 목소리만 들었지만."

"그쪽도냐……. 혹시 신의 트러블 체질이 전염된 거 아닌가?"

"어? 무슨 바보 같은 소릴……."

오그가 얼토당토않은 말을 했다.

나는 즉시 부정했지만…….

"……그럴지도."

"난 살면서 지금까지 이런 적 없었는데~."

"나도!"

"나도. 여러모로 자극이 많아서 즐거워."

"어? 농담이지? 내 탓은 아니잖아?"

""""……""""

어? 뭐야? 진짜? 아니, 그보다 마리아는 처음에 비슷한 상황에서 만났던 것 같은데…….

"조금 전에도 말했지만, 난 평소에는 늘 조심하고 있어. 하지만 아무리 우발적이었다고는 해도 이런 일을 겪은 건……."

"저도 처음이었습니다."

"소인은 역헌팅 자체가 처음이었소이다."

어, 어라? 왠지 분위기가 불온하게 흘러가는걸?

"흠, 아무래도 신 때문에 사건에 말려들기 쉬워진 것 같군. 그러니 다들 앞으로 주의하도록."

""""예!""""

……나, 울어도 돼?

"괘, 괜찮아요. 신 군. 전 그렇게 생각하지 않는걸요."

"시실리……."

시실리의 고운 마음씨가 가슴 속으로 따스하게 스며드는구나…….

"신 오빠랑 있으면 재밌는 일만 일어나네요."

그리고 메이의 천진난만한 감상이 내 가슴을 후벼 팠다.

◆

신 일행이 담 왕국에서 다양한 사건에 휘말렸을 무렵, 모처에 마인들이 모여 있었다.

하지만 그들은 슈투름에게 반기를 든 마인들이 아니었다.

올리버 슈투름 본인과 그의 수하들이었다.

그들이 옛 제도를 나온 건 제스트가 슈투름에게 어떤 의뢰를 했기 때문이다.

"생물을 마물로 바꾸는 방법 말입니까. 대상이 인간이 아니라면 그리 어려운 일은 아닙니다만."

슈투름이 알스하이드에서 한 실험.

제스트는 야생동물을 마물로 바꾸는 그 방법을 배우고 싶다고 부탁했다.

"그건 그렇고 이런 걸 배워서 어쩌려는 건가요?"

"슈투름 님은 현재 목표를 잃고 계십니다. 하지만 앞으로 새로운 목표가 생겼을 때 저도 미력하나마 보탬이 되어드리고 싶습니다. 장기 말이 될 마물의 수를 늘려두는 것도 그 일환이 될 거라는 생각이 들어서요."

"흠…… 앞으로의 목표인가요?"

그렇게 말하는 슈투름은 그다지 의욕이 없어 보였다.

제스트도 딱히 뭔가를 강요할 생각은 털끝만큼도 없었다.

하지만 자신이 섬기는 주인이자, 자신들을 마인으로 『격상』

시켜준 슈투름에게는 커다란 은혜를 느끼고 있었다.

슈투름이 앞으로 어떤 행보를 보일지는 전혀 짐작도 가지 않지만, 훗날 그가 결단을 내렸을 때는 조금이라도 힘이 되어주고 싶었다.

그리고 이번 행동에 영향을 받아서 조금이라도 마음이 바뀌지 않을까 하는 막연한 기대감도 있었다.

그런 이유로 제스트는 생물을 마물로 바꾸는 방법을 배우고 싶다는 말을 꺼낸 것이었다.

"기본적으로 동물이 마물로 변하는 건 마력을 제어하지 못해서 폭주했기 때문입니다."

슈투름은 근처에 있는 동물을 향해 마력을 방출했다.

"몸에 흡수된 마력이 제어할 수 없을 정도로 많아지면…… 원래 마력을 제어할 줄 모르는 동물은 간단히 마물로 변해버리는 거지요. 자, 이렇게 보시다시피."

그렇게 계속 마력을 흘려보내자 동물이 마물로 바뀌었다.

""""오오!""""

"하지만 인간처럼 마력을 제어할 수 있는 동물이 대상이라면 난이도가 급등하겠지만요."

"그건 차차 하기로 하고 일단 저부터 시도해보겠습니다."

제스트는 슈투름처럼 근처에 있는 동물에게 마력을 흘려보내기 시작했다.

"음? 이건…… 의외로 어렵군요."

하지만 그의 마력은 동물의 체내로 침투하지 못하고 흘러 넘치기만 할 뿐이었다.

"이렇게 하는 겁니다. 이렇게. 아무리 자신의 의지로 마력을 제어하지 못한다고 해도 이 세계의 생물은 모두 마력의 은총을 입고 있습니다. 그 마력을 느낀다면……."

슈투름이 본보기 삼아 다시 마력을 흘려보내자, 마력 제어 능력을 상실한 동물이 마물로 재탄생했다.

"인간으로 치면 기초 마력량입니다. 그걸 느끼는 겁니다."

이 세계의 생물은 크건 작건 간에 마력의 은총을 입고 있다.

마법을 쓸 정도로 능숙하게 마력을 제어할 수 있느냐는 차이가 있을 뿐이지 모든 인간은 마력을 가지고 태어난다.

그래서 마도구 같은 마력이 필요한 도구도 누구나 쓸 수 있는 것이다.

이렇게 인간이 선천적으로 가지고 있는 마력의 총량이 바로 『기초 마력량』이었다.

아직 정확히 밝혀진 건 아니지만, 이 개인마다 차이가 있는 기초 마력량이 많을수록 마법사로서의 적성이 뛰어나다는 것이 이 세계의 통설이었다.

사실 딱히 틀린 말도 아니었다.

고위 마법사라고 불리는 자들은 하나같이 이 기초 마력량이 풍부하기 때문이다.

제스트를 비롯한 다른 마인들도 이 정도는 당연히 알고

있었다.

“기초 마력량…… 너무 적어서 판별하기가 까다롭군요…….”

그렇다면 왜 그들은 난색을 보이고 있는 것일까.

동물은 인간에 비해 기초 마력량이 지나치게 적다 보니 느끼기가 무척 어려웠기 때문이다.

제스트뿐만 아니라 그의 부하들도 동물을 마물로 바꾸기 위해 시행착오를 반복하고 있었다.

“오? 큭! 이거 진짜 의외로 어렵네.”

그중에는 다른 마인들 사이에 잠복했던 로렌스도 있었다.

제스트가 앞으로 이 기술이 필요할 거라며 훈련에 참가하라는 명령을 내렸기 때문이다.

솔직히 바보 마인 집단을 상대하는 것만으로도 벅찼지만, 행동 방침을 이쪽의 의도대로 유도해야 했고 제스트에게 보내는 정기 연락도 빠트려선 안 됐다.

아마 현재 슈투름 측에서 가장 바쁜 마인을 꼽는다면 바로 이 로렌스를 거론할 수밖에 없으리라.

제스트 일행이 몇 번이나 실패하면 슈투름이 본보기를 보여주고 다시 따라 하는 작업이 반복되었다.

그러는 사이에 마침내 제스트가 마력을 주입한 동물이 변화를 보였다.

기초 마력을 느끼고 그 한계량 이상의 마력을 퍼붓는다.

그러자 동물의 체내에서 포화된 마력이 서서히 폭주하기

시작했다.

그리고…….

"오오! 드디어, 드디어 해냈습니다! 슈투름 님."

"오, 훌륭하군요. 역시 제스트 대장."

"감사합니다. 그건 그렇고 이토록 어려운 기술을 아무렇지 않게 쓰시다니…… 다시 한 번 감복했습니다."

"후후, 조금 전에도 말씀드렸지요? 인간이 대상일 땐 난이도가 급등한다고. 그에 비하면 지성이 없는 동물을 마물로 바꾸는 건 별것도 아닙니다."

슈투름은 대수롭지 않게 말했다.

하지만 실제로 이 방법을 시도하면서 이 정도로 섬세한 마력 탐지 능력과 제어 능력이 필요할 줄 꿈에도 몰랐던 제스트는 새삼스럽게 슈투름이 존경스러워졌다.

그리고 이 자리에는 밀리아도 있었다.

제스트가 슈투름에게 고개를 숙이는 것을 흘겨보면서 자신도 동물을 마물로 바꾸려 했다.

밀리아는 제스트의 의도를 정확히 파악하지는 못했다.

하지만 그도 슈투름을 위해 뭔가를 하고자 한다는 건 어렴풋이 이해했다.

그녀도 제스트와 마찬가지로 슈투름을 위해서라는 일념으로 이 실험에 집중하고 있었기 때문이다.

결국 밀리아는 실험에 성공하지 못했다.

어째선지 자신의 마력이 잘 제어되지 않았기 때문이다.

하지만 이건 폭주의 전조가 아니라 마력이 안정감을 잃고 일정한 수준을 유지하지 못하고 있어서였다.

주위의 마물들은 하나둘씩 실험에 성공하고 있었다.

그런 가운데 자신만 성공시키지 못한 밀리아는 조바심을 느꼈다.

하지만 아무리 애를 써도 마력이 안정되질 않았다.

아무래도 이건 이상하다 싶어서 고민한 밀리아는 불현듯 어떤 사실을 깨달았다.

'이건…… 어쩌면…….'

자신의 예상이 틀림없을 거라 판단한 밀리아는 슈투름에게 다가가 이번 실험에 관한 어떤 조사를 부탁했다.

"호오, 이건……."

그러자 실험 결과를 확인한 슈투름이 갑자기 즐거운 미소를 지었다.

"저기, 슈투름 님?"

"아, 미안합니다. 제법 재미있는 사례라. 흠, 아무래도 실험의 첫 번째 단계가 성공한 것 같군요."

"그, 그게 사실인가요?!"

"예. 그건 그렇고 밀리아 양은 참 재미있는 발상을 떠올리시는군요."

밀리아는 슈투름의 말을 듣고 기쁨의 탄성을 질렀다.

"아뇨, 그런. 이것도 전부 슈투름 님을 위해서였습니다."

"그런가요."

시험의 첫 번째 단계가 성공했다.

그 결과를 본 슈투름의 얼굴에 떠오른 것은 기쁨이 아니라 호기심이었다.

고작 그것뿐이었다.

밀리아는 일말의 섭섭함을 느꼈지만, 이것은 전부 슈투름을…… 나아가서는 마인 전체를 위한 일이 될 거라며 자신의 감정을 추슬렀다.

그리고 눈앞에서 대량으로 발생한 마물들을 바라보면서 무슨 일이 있어도 실험을 최종 단계까지 성공시키겠다고 굳게 결심했다.

"……아무리 그래도 너무 많이 만든 게 아닐까요? 제스트 님."

"응? 그러고 보니……."

연습에 여념이 없었던 제스트는 그제야 대량으로 늘어난 마물들을 보고 말문이 막혔다.

"……좀 지나쳤던 것 같군요."

"그런 것 같습니다……."

"후후. 뭐, 이런 마물이 아무리 늘어나봤자 큰 문제가 되진 않겠지요. 자, 그럼 슬슬 돌아갑시다."

""""예!""""

슈투름의 명령을 들은 마인들은 즉시 이동하기 시작했다.

그들은 마물이 된 대량의 동물을 완전히 방치하고 본거지로 귀환했다.

그리고 그 자리에 방치된 마물들은 한 마리가 움직이자 다른 마물들도 따라서 움직이기 시작했다.

마치 하나의 생물처럼.

◆

담 왕국을 방문한 첫날 밤, 나는 당치도 않는 혐의를 받고 말았다.

전염되는 트러블 체질이라는 게 대체 뭐냐고!

그 말을 듣고 기분이 엄청 침울해졌다. 하지만 다음 날 일행은 그런 내 기분 따윈 신경 쓰는 기색도 없이 다음 목적지인 목축업으로 유명한 카난 왕국으로 출발하기로 했다.

일단 어젯밤에 오그와 같이 알스하이드로 돌아가서 마인에 관한 새로운 정보는 없는지 확인했다.

하지만 딱히 눈에 띄는 움직임은 없었다.

그건 그렇고 일일이 돌아와야 하는 게 귀찮았다.

한 번 무선 통신기나 만들어볼까?

"신…… 너, 또 이상한 생각을 하는 건 아니겠지?"

"그럴 리가. 그보다 카난 왕국은 직물로 유명하댔지?"

나는 여전히 내 생각을 읽는 것 같은 오그의 지적을 얼버무리며 다음 목적지에 관해 물어보았다.

"예, 맞아요. 특히 마물이 된 양의 털로 만든 천이 유명해요."

"그 양털이 좀 필요한데 말야."

"왜요?"

내가 그 양털을 원하자 시실리가 이유를 궁금해했다.

그러고 보니 학교에서는 아직 마도구 제작을 배우지 않았으니 모르는 게 당연하겠지.

"마법학원의 교복도 그렇지만, 마물에서 난 소재는 일반적인 소재보다 부여할 수 있는 글자 수가 많아."

"아, 그런가요?"

"중등학원에서는 가르쳐주지 않으니까~. 고등 마법학원에서도 아직 안 배웠으니 부여 마법에 관심이 없으면 모르는 게 당연해~."

부여 마법이 특기인 유리가 나와 시실리의 대화에 끼어들었다.

"가축이 된 양은 마물이 되기도 쉬워~."

"어? 그래?"

나는 뜻밖의 정보에 놀랐다.

"야성이 흐려져서라는 설도 있지만, 아직 확실하지는 않아~."

"굉장해요, 유리 양. 전 전부 처음 듣는 이야기인걸요."

"응, 대단해."

나도 시실리처럼 감탄했다.

유리는 우리의 칭찬에 쑥스러운 얼굴을 하더니 얼버무리듯 화제를 바꾸었다.

"그런데~ 그런 부여 글자 수가 많은 소재를 입수해서 뭘 할 셈이야~?"

"아니, 이 망토에 온도 조절 기능과 광학미채 마법을 부여하긴 했는데 치유 마법은 안 넣었거든."

"치유 마법? 아, 스이드 왕국에서의 일 때문이군요……."

그렇다. 기본적으로 내가 옷에 부여한 마법은 입은 사람을 지키기 위한 것들뿐이라 다른 사람에게는 적용되지 않았다.

만약 망토에 교복과 전투복처럼 『자동 치유』를 부여했다면 시실리가 스이드 왕국에서 그런 고생을 할 필요도 없었을 것이다.

이 세계의 인간은 누구나 마력을 가지고 있으니 마법을 쓰지 못해도 마도구는 쓸 수 있었다.

지금도 『적정 온도』와 『광학미채』가 부여된 망토를 쓰고 있는 에리처럼 말이다.

그랬으면 아직 시실리의 힘으로는 치료할 수 없었던 중환자들도 누군가가 『자동 치유』가 부여된 망토를 계속 써주기만 해도 문제없이 완치할 수 있었다.

교복이었다면 웃옷을 벗어주면 되겠지만, 전투복은 아무

래도 좀…… 시실리가 옷을 벗는 모습은 누구에게도 못 보여줘!

"망토에 새로운 마법을 부여하고 싶어. 하지만 지금 이 망토는 글자 수가 한계니까 안감이나 솜에도 부여할 수 있으면 좋겠다 싶었거든."

"새 걸 사는 게 아니라요?"

"마물이 된 대형 거미의 실로 만든 소재로 제작했으면 좋았겠지만, 망토나 안감으로는 못 쓴다더라고. 이만큼 마법을 부여할 수 있는 튼튼한 망토를 찾는 것만 해도 고생했는걸."

"그랬군요."

"그래서 카난 왕국에 도착하면 망토의 소재로 쓸 천을 찾으러 가고 싶은데, 괜찮을까?"

"괜찮지 않아? 카난 왕국은 직물로 유명한 만큼 패션도 다양하니까 나도 한 번 쭉 돌아다녀 보고 싶었거든."

"그, 그러냐……."

여자의 쇼핑…… 이보다 더 불길하게 들리는 단어가 세상에 존재할 수 있을까?

전에 동행했을 때도 완전히 기진맥진했었다.

"미안하지만, 시실리랑 올리비아랑 에리 양 좀 빌려 갈게. 이번에는 여자끼리만 다니고 싶으니까."

오오, 신이시여! 설마 알아서 떨어져 나갈 줄이야!

"그래. 겨우 천이나 사러 가는데 시실리를 데려가는 것도 좀 그렇고 여자애들끼리 쇼핑하는 게 더 즐겁겠지. 시실리는 그래도 괜찮겠어?"

"예. 여러분들과 같이 쇼핑하는 건 즐거운걸요."

기뻐하는 걸 들키지 않도록 태연하게 물어봤더니 시실리도 괜찮다고 했다.

"메이는?"

"저도 언니들을 따라갈 거예요!"

"메이를 부탁하마. 어제도 말했지만, 신 때문에 사건에 말려들기 쉬워진 것 같으니 조심하고."

""""예!""""

……목소리가 완벽히 일치했네…….

내가 절망감에 사로잡힌 사이에 우리는 카난 왕국의 국경을 넘었다.

"와아! 양이에요! 잔뜩 있어요!"

국경을 걸어서 넘고 다시 하늘로 날아오른 우리의 눈앞에 나타난 건 광대한 초원에 무수히 많은 양들이었다.

"이렇게 위에서 보는 건 처음인데…… 굉장하다."

"아, 양치기."

린이 마초 양치기를 발견했다. 어제부터 완전히 재미 들렸네.

"진짜 몸이 굉장해! 강해 보여!"

"실제로도 강하겠죠. 마물 양은 일단 중형으로 분류되니까요. 그걸 해치우지 못하면 양치기가 될 수 없다고 들었습니다."

"진짜? 거의 병사 수준이잖아."

"애들아…… 저건……."

카난 왕국의 양치기는 병사처럼 강해야만 될 수 있다는 토르의 설명을 듣는 사이에 마리아가 뭔가를 본 모양이었다.

그쪽으로 시선을 돌리자…….

"……양치기라는 말을 꺼내자마자 이거냐. 역시 신은 사건을 부르는 체질인 것 같군."

"아, 아니거든?! 지금 나 말고도 사람이 잔뜩 있잖아!"

마물 양을 해치울 정도로 강하지 않으면 양치기가 될 수 없다는 말을 꺼냈더니…… 양이 마물로 변했다.

이건 내 탓이 아니잖아!

아무튼 마물이라면 토벌하는 편이 좋지 않을까?

아니면 양치기가 올 때까지 기다리는 편이 좋을까.

"일단 밑으로 내려가자. 양치기에 근처에 없으면 우리가 토벌해야겠지."

"그래."

전원이 지상에 착지하는 동시에 부유 마법을 해제했다.

그리고 근처에 양치기가 있나 확인하려 한 순간.

"으라아아아아아아아아!"

근처에 있는 수풀에서 근육이 우락부락한 남자가 커다란 도끼를 휘두르면서 뛰쳐나왔다.

저게 뭐더라? 창과 도끼를 하나로 합친 것 같은 무기.

하, 하…….

"할시온!"

"할버드다."

"……."

으어어! 민망해! 완전히 소리 내서 말해 버렸잖아!

내가 단어를 틀려서 얼굴이 새빨개진 사이에 남자는 마물 양의 목을 뎅겅 잘라 버렸다.

근육이 터질 듯한 육체에 양치기가 들고 다니는 지팡이 대신 할버드를 들고 마법사와 다른 디자인의 로브를 입은 남자.

응, 틀림없다. 저게 양치기구나.

"오! 여행객인가! 다친 데는 없고?"

"아, 예. 저흰 괜찮아요."

"그건 그렇고 위험했군. 왜 이런 곳에?"

"그게, 실은 양이 마물이 된 게 보이길래 근처에 양치기가 없으면 토벌해야 하나 싶어서 온 거예요."

"이봐, 무모한 소리 하지 마. 보아하니 너희는 성인이 된 지 얼마 안 됐지? 마물을 사냥하기에는 아직 일러."

"그럴 리가요. 보세요."

조금 전에 색적 마법으로 마물로 변하기 일보 직전인 양을 발견했는데 마침 딱 마물이 됐다.

나는 그쪽을 향해 바람의 칼날을 날렸다.

그러자 눈 깜짝할 사이에 목이 날아간 마물 양의 몸이 그 자리에 쓰러졌다.

"어때요. 문제없죠?"

"으하하하하핫!"

그 광경을 아연실색한 얼굴로 보고 있던 양치기가 느닷없이 큰 웃음을 터트렸다.

"뭐야, 소년! 강하잖아! 마법사였던 거냐?"

"아, 예. 뭐……."

양치기는 내 등을 퍽퍽 두들기면서 즐거워했다.

엄청난 힘이다. 등 아파!

"그래, 그랬군. 하지만 미안하게 됐다. 너희가 아무리 마물 양을 토벌해도 소재는 줄 수 없어."

"아, 괜찮아요. 소재를 갖고 싶어서 사냥한 건 아니니까요."

"미안하군. 마물 양은 우리처럼 자격을 가진 『국가 양양가(養羊家)』만 취급할 수 있거든."

"그, 그렇군요……."

양치기에 국가 자격?! 카난 왕국에는 그런 자격도 있는 거야?

"아, 아무튼 저희는 마물을 내버려 둘 수 없었던 것뿐이니까 신경 쓰지 마세요."

"그래? 미안하다. 너희는 이제부터 왕도로 가는 건가?"

“예, 그런데요.”

“그럼 왕도에 도착하면 『셰퍼드 의류점』을 추천하지. 너희 같은 여행객을 위한 옷과 장비를 팔고 있거든.”

남자는 우리가 마물 양을 토벌했는데도 소재를 나눠주지 못하는 것에 미안함을 느꼈는지 카난의 옷가게를 추천해주었다.

카난에 도착하면 아무나 잡고 물어보려고 했었으니 마침 잘됐다.

“오, 그런가요. 고맙습니다.”

“천만에. 덕분에 고생하지도 않고 마물 양을 한 마리 확보했으니 고맙다고 해야 할 건 나지.”

“아하하, 그럼 저희는 이만 가봐야 해서.”

“그래, 난 가란. 기회가 있으면 또 보자!”

“전 신이라고 해요. 그럼 인연이 있으면 또.”

가란 씨와 악수를 한 후, 우리는 그 자리를 벗어났다.

그건 그렇고 좋은 정보였다. 셰퍼드 의류점이라. 카난 왕국의 왕도에 도착하면 가보자.

“그건 그렇고 몸이 굉장했어!”

“그래, 일격으로 처리하는 실력도 그렇고 이 나라는 병사보다 양치기가 더 강할지도 모르겠군.”

“국가 양양가라는 단어도 있을 정도니 어쩌면 카난 왕국의 양치기는 엘리트일지도 모르겠어요.”

전생의 지식에 따르면 과거의 양치기는 사회적인 지위가 낮았던 걸로 알고 있었는데 아무래도 이 나라에서는 다른가 보다.

카난 왕국의 국가 양양가와 헤어진 후, 우리는 왕도에 도착했다.

입장하는 문에서 담 왕국과 비슷한 일을 겪고 거리에서 여관을 잡았다.

"굉장해! 푹신푹신해요!"

"진짜 굉장하네요. 저희 집에서 쓰는 것과 비교해 봐도 양털의 양이 훨씬 많은걸요?"

저번과 마찬가지로 8인용 방을 두 개 잡고 그중 한 방에 모였을 때, 메이가 갑자기 침대에 뛰어들더니 굉장하다는 말을 연호했다. 에리도 침대에 쓰인 양털의 양에 놀란 기색이었다.

일개 여관에서 왕실이나 공작가에서 쓰는 침구류보다 양털을 더 많이 쓸 정도라니…… 과연 인구수보다 양이 더 많기로 유명한 나라다웠다.

다들 양털을 사치스럽게 쓴 카난의 침구류에 찬사를 보내는 가운데, 시실리가 마침 뭔가를 떠올린 것처럼 내게 말을 걸었다.

"그러고 보니…… 신 군네 이불은 양털을 쓰지 않은 거죠?"

"뭐야, 시실리. 벌써 신네 이불 사정까지 빠삭한 거야?"

"어? 아! 아니야! 할머님! 할머님 방에 갔을 때 보여주셨어!"

"뭐야~ 벌써 신네 집에서 자본 줄 알았네."

"마, 마리아! 얘가 진짜!"

시실리와 마리아가 장난을 치는데…… 할머니 방이라고?

"할머니 방에는 뭐 하러 간 거야?"

"할머님께서 트레이닝을 하시다가 허리를 좀 삐끗하셨다고 해서 치료해드리러 갔었어요."

"할머니……."

나이가 나이니까 이젠 자중 좀 해…….

"그래서 침대에 누워 계신 할머님을 치료해드렸는데…… 그때 매트리스가 좀 다르다고 느꼈어요. 그건 뭔가요? 할머님께서도 잘 모르신다던대요."

"아, 그거 말야? 그건 숲속에서 찾은 저탄성 나무껍질을 모아서 침대 위에 깐 거야."

코르크도 나무껍질이지만, 그보다 더 부드러운 데다 탄성도 적은 나무껍질을 발견했다.

전생에서 저탄성 매트를 동경했던 나는 당장 집으로 가져와서 매트리스로 만들어 버렸다.

"저탄성? 그런 데서 잠이 와?"

"그게 굉장한 거 있지? 할머님께서 한 번 누워보라고 하셔서 누워봤는데…… 하마터면 그대로 잠들 뻔했어."

"그래?"

"뭐랄까…… 몸이 떠 있는 느낌 같기도 하고…… 뭔가에 폭 감싸여 있는 듯한 느낌도 들었어."

"그, 그 정도야?"

"그러고 보니 위에 덮는 이불도 엄청 가벼웠는데, 왜 그렇게 가벼운 건가요?"

"어? 신네 집은 부자인데……."

앨리스가 의문을 드러내는 것에는 사정이 있었다.

이 세계는 양털을 쓴 침구류가 주류인 데다 양털이 많으면 많을수록 더 비쌌다.

에리와 메이가 아까 놀랐던 건 그 양털을 엄청나게 많이 썼기 때문이다.

하지만 양털을 많이 쓸수록 이불은 더 무거워지기 마련이다. 그래서 가벼운 이불이라고 하면 일반적으로 싸구려라는 인식을 가지고 있었다.

"아, 우리 집 이불에는 양털을 안 써서 그래."

"그건 방금 들었는데…… 그럼 뭘 쓴 거야?"

"깃털."

"새의 깃털……."

다들 의아한 눈으로 나를 바라보았다.

이 세계에서는 아직 깃털 이불의 효용성이 알려지지 않아서겠지.

"뭐, 나중에 한 번 써봐. 깜짝 놀랄 테니까."

"그래? 뭐, 시실리는 곧 체험해볼 것 같지만."

"마리아!"

월포드가의 이불 사정은 일단 제쳐두고 우리는 각자 할 일을 찾아 떠났다.

여성진은 쇼핑. 나는 양치기 가란 씨가 추천한 셰퍼드 의류점에 가보기로 했다.

망토는 오그 일행의 것을 포함해서 전부 맡아뒀다.

그 자리에서 바로 가공하고 싶어서다.

"월포드 군. 저도 같이 가도 되겠습까?"

여관을 나가려는데 마크가 말을 걸었다.

"상관은 없는데, 너도 소재를 찾아보려고?"

"그것도 있지만, 월포드 군이 어떤 소재를 골라서 어떤 가공을 할지 관심이 있습다."

과연 공방주의 아들답게 마도구 제작에는 관심이 많은 모양이었다.

"그럼 나 혼자만 남을 테니 나도 같이 가도 될까?"

"그래. 그럼 셋이서 가자."

결국 나와 마크와 토니 셋과 여성진이라는 두 팀으로 갈라지게 되었다.

셰퍼드 의류점은 여관에 물어봤더니 바로 가르쳐주었다.

이 카난 왕국에서도 꽤 유명한 가게인 모양이었다.

유행복과는 거리가 멀지만, 여행복이나 외투뿐만 아니라

오너가 국가 양양가라 마물 양의 양털을 쓴 천이나 옷을 다양하게 취급한다고 들었다.

정말 좋은 가게를 소개받았다. 무엇보다 내가 원하는 물건이 있는 가게였다.

셰퍼드 의류점을 가는 도중에 다른 가게도 들러서 구경했다.

"역시 카난 왕국답습다. 옷이나 천을 취급하는 가게가 엄청 많습다."

"조금 전에 본 가게는 남성복 전문점이었지. 슬쩍 보기만 했는데도 끌리는 옷이 몇 개나 있더라."

"그럼 가는 길에 들렀다 가자. 나도 괜찮은 옷을 몇 벌 봤거든."

"그거 좋네. 그렇게 하자."

그런 식으로 잠시 샛길로 새기도 하면서 목적지로 이동했다.

그리고 도착한 가게는…….

"커!"

"굉장합다……."

"4층 건물이네."

이렇게 말하면 조금 미안하지만, 마크네 공방보다 컸다. 부지면적도, 층수도.

우리는 그런 셰퍼드 의류점으로 바로 들어갔다.

"어서 오십시오."

가게 안은 조금 전에 들른 가게들과 달리 무척 고급스러운 분위기였다. 종업원도 왠지 품위가 있어 보이고.

그건 그렇고 가게가 워낙 넓다 보니 원하는 물건을 찾으려면 한참 고생할 것 같다. 일단 종업원에게 물어보자.

"저기, 실례합니다."

"예, 무슨 용건이신가요?"

나는 이 가게로 온 목적을 밝히고 조건에 맞는 소재가 있는지 물어보았다.

"마법을 부여할 수 있는 망토의 안감이나 안에 넣을 솜으로 쓸 만한 소재인가요……."

"아, 망토는 이거예요."

"한 번 확인해보겠습니다."

나는 내 망토를 종업원에게 보여주고 조언을 구했다.

"이건…… 꽤 좋은 소재를 쓰셨군요."

"참고로 마법은 여덟 글자를 부여했어요."

"마, 망토에 여덟 글자나!"

망토에 쓰이는 천은 무엇보다 튼튼해야 한다.

아무래도 그런 소재는 부여할 수 있는 글자 수가 적은 편이라 종업원도 놀란 것 같았다.

"안감도 좋은 천을 쓰셨고…… 이렇게 되면 솜을 늘릴 수밖에 없으니 여름철에는 꽤 더우실 텐데요?"

"아, 그건 괜찮아요."

그 망토에는 온도 조절 기능이 달려 있으니까.

“그러십니까. 마법을 부여할 수 있는 솜이라면 마물양의 양털밖에 없습니다만…….”

“그거면 돼요. 이 숫자만큼 가공해주실 수 있겠어요?”

나는 이공간 수납 마법을 써서 에리와 메이의 것을 포함한 총 열세 개의 망토를 꺼냈다.

“이, 이렇게 많이요?”

“총 열네 개네요. 괜찮을까요?”

“물론 문제없습니다만…… 그러면 가격이…….”

“그 녀석들은 깎아줘라.”

“오, 오너!”

“오너?”

종업원과 총 열네 벌 분량의 소재와 가공비에 관해 이야기를 나누려는데 뒤에서 목소리가 들렸다.

어라? 바로 얼마 전에 들은 듯한 목소리가…….

그렇게 생각하며 고개를 돌리자 헤어진 지 얼마 안 된 남자의 모습이 눈에 들어왔다.

“아, 역시 가란 씨다.”

“그래, 벌써 왔군. 환영하마, 신”

가란 씨는 그렇게 말하며 야성적으로 웃었다.

그러자 종업원이 이렇게 말했다.

“오너의 지인이셨습니까.”

오너라는 게 가란 씨를 말하는 건가?

“그래! 신은 굉장한 녀석이다. 아무튼 마물이 된 양을 마법 한 방으로 처리했을 정도니까 말이지.”

“마, 마법 한 방?! 그런 고위 마법사셨습니까?”

“고위라니…… 기껏해야 양이잖아요?”

“아하하하! 역시 넌 그런 녀석이었군. 어째 마물 양 정도론 성에 안 차 보이더니만.”

“마물 양을 그렇게 쉽게 말씀하시다니…….”

어? 그야 양이잖아? 중형으로 분류되긴 해도 멧돼지나 늑대에 비교할 바는 아니잖아.

난 그렇게 생각했지만, 마크가 옆에서 소매를 잡아당겼다.

“월포드 군의 인식으로는 별거 아닐지 모르겠지만…… 일반적으로 중형 이상의 마물은 상당히 위험한 존재입다.”

“뭐, 최근에는 우리도 호랑이나 사자 같은 걸 상대하고 있으니 감각이 좀 이상해진 것 같지는 하지만…….”

토니도 껴서 몰래 대화를 나누자 가란 씨가 말을 걸어왔다.

“음? 무슨 문제라도?”

“아뇨, 아무것도 아닙다!”

아무래도 평소에는 호랑이나 사자를 사냥하고 있으니 양 정도는 여유라고 말할 수는 없겠지.

“그래, 뭐 그런 고위 마법사니까 우리 가게에서 장비를 가공해주면 좋은 선전이 될 거다. 그리고 양도 한 마리 사냥해줬고.”

우리 가게라…….

"국가 양양가 자격을 가진 오너라는 게 가란 씨였군요."

"어, 가란 셰퍼드다. 양을 사냥해준 보답으로 좀 깎아주려고 우리 가게를 소개해준 거였지."

그래서 이 가게를 소개해준 거였나. 마침 운이 좋았군.

"좋게 봐주셔서 고맙습니다. 수량이 많아서 걱정했거든요."

"그래. 그럼 재료비와 가공비로…… 이 정도면 어떨까?"

"오, 오너! 그건 거의 원가가 아닙니까! 그리고 가공비도 포함……!"

가란 씨가 옆에서 당황해하는 종업원의 입을 틀어막았다.

"됐으니까 조용히 해. 그럼 이 정도면 괜찮겠지?"

가란 씨는 종업원의 입을 틀어막은 채 비용을 제시했다.

조금 전까지 발버둥 치던 종업원의 몸이 축 늘어지는 게 보였다.

왠지 돈보다 그쪽이 더 신경 쓰였다.

괘, 괜찮으려나?

"저, 저희야 고맙지만…… 괜찮으시겠어요? 이러면 거의 이익이 없으신 게……."

나는 종업원을 힐끔힐끔 쳐다보면서 상당히 비용을 할인해준 모양인 가란 씨에게 일단 확인했다.

"뭐, 이익은 금전만으로 따질 수 있는 게 아니니까. 너희라면 언젠가 유명한 마법사가 되겠지. 그렇게 됐을 때 너희의 장비를 가공해준 게 우리 가게라는 게 알려지면…… 그 때 가서 잔뜩 벌어도 충분해."

가란 씨는 씨익 웃으면서 말했다.

멋지다. 가란 씨 진짜 멋져!

"알겠어요. 그럼 그 가격으로 부탁드릴게요. 가란 씨의 기대에 부응하도록 노력하겠습니다."

"그래! 그렇게 나와야지!"

가란 씨는 호탕하게 웃으며 장비 가공 의뢰를 받아들였다.

그리고 그제야 가란 씨의 손에서 풀려난 종업원이 일정을 설명해주었다. 다행이다……. 죽지 않아서.

내일이면 가공이 끝날 것 같다고 해서 왕도를 떠나기 전에 받으러 오기로 했다.

"진짜 운이 좋았네. 돈이 꽤 많이 깨질 줄 알았는데."

"그건 그렇고…… 괜찮을까요? 아무리 그래도 너무 상대의 호의에 기대는 게……."

마크가 우려를 표했다. 하긴 나도 이쪽 세계에서 이런 일을 경험하는 건 처음이었다.

"괜찮지 않을까? 요컨대, 광고탑이 되는 대신 비용을 싸게 해준다는 이야기였잖아. 양쪽에 이익이 되는 거니까 이젠 우리가 명성을 올리기만 하면 돼."

"아니, 명성은 이미 충분한 것 같은데……."

그런 거라면 기업 로고라도 달아주는 편이 좋았으려나?

……어째 무슨 유니폼 같다. 이 생각은 그만두자. 망토 자체도 원래는 알스하이드의 왕도에서 산 물건이기도 하니.

어쨌든 이 나라에 온 목적을 달성한 우리는 오는 도중에 본 옷가게에서 평소에 입을 옷을 보러 갔다.

평상복은 무슨 마법을 부여할지 고민할 필요가 없으니 마음 편히 고를 수 있었다.

예상보다 지출이 적었던 덕분에 꽤 많이 샀다.

"어때? 가공 쪽은 잘 풀렸어?"

도중에 회담을 끝낸 오그 일행과 합류했다.

이쪽도 담 왕국과 거의 비슷한 반응이었나 보다.

딱히 언급할 내용도 없어서 다 같이 옷가게를 보고 다니다가 노점에서 점심을 때우고 선물과 그밖에 필요한 물건들도 산 다음에 여관으로 돌아왔다.

"후우…… 쇼핑은 즐겁지만, 피곤하네."

"맞습다. 내가 필요한 걸 사는 것도 이렇게 피곤한데……."

"여자애들이랑 쇼핑하는 건 나도 사양하고 싶어."

마크와 토니도 나와 같은 의견인가……. 오그와 토르와 율리우스는 약혼자와 단둘에서 쇼핑하러 다닐 수 있는 신분이 아니라 그런지 우리가 무슨 소리를 하는 건지 이해하지 못한 얼굴이었다.

나도 클로드령에서 시실리의 쇼핑에 몇 번 어울려준 경험이 있다.

……여자의 쇼핑은 누가 상대든 마찬가지였다고만 밝혀두겠다.

"망토는 언제 받으러 갈 거지?"

"내일 출발하기 전에 받으러 가기로 했어. 그대로 가게의 공방을 빌려서 마법도 부여하려고."

"그래, 알았다."

"다녀왔습니다!"

마침 여자애들이 돌아왔다.

다들 이공간 수납 마법을 쓸 수 있어서 손에는 아무것도 들고 있지 않았지만, 그 수납공간에 얼마나 많은 옷이 들어 있을지는 상상도 가지 않았다.

"하아…… 즐거웠어요. 이렇게 많은 가게를 돌아다녀 본 것도 처음이구요."

"또 기회가 있으면 가자! 에리!"

"호위는 우리가 있으니 문제없어."

"후후, 그렇겠네요. 그럼 또 가죠."

"저도 가고 싶어요!"

"걱정하지 않아도 메이도 데려가 줄게요."

"만세예요!"

앨리스와 린은 즐거워 보이는 에리에게 다음에 또 가자고 권유했다.

그러자 메이도 끼고 싶다며 외쳤다.

……여자애들은 기운이 넘치는구만.

우리는 다른 볼일도 있어서 쇼핑 시간 자체는 훨씬 짧은 편이었는데도 이토록 지쳤는데 말이다.

"……쇼핑이란 단어는 꺼내지도 마. 그러다 같이 가자는 소리가 나오면 큰일이니까."

오그도 그 광경을 보고 위기감을 느낀 듯했다.

마침 그 순간…….

"아우구스트 님."

"응? 왜? 에리."

"아우구스트 님도 뭔가 사셨어요?"

헉! 설마 저쪽에서 먼저 말을 꺼낼 줄은……!

"아, 응……. 회담을 마친 후에 이 녀석들과 만나서 가게를 좀 보고 다니긴 했다만……."

"그러셨나요……. 저기, 아우구스트 님?"

"으, 응?"

"다음에는…… 저랑 단둘이서 가시면 안 될까요?"

"그, 그러지……."

아, 오그의 표정이 굳어 버렸다.

이쪽에서 언급하지 않아도 상대방이 먼저 말을 꺼내면 피할 방법이 없다.

마음속으로 오그의 명복을 빌고 있자, 이번에는 시실리가 나에게 말을 걸어왔다.

"저기, 신 군?"

"어? 으, 응. 왜?"

방금 오그와 에리의 대화를 들어서 그런지 나는 무심코 말을 더듬었다.

혹시 시실리도? 같이 쇼핑하러 가자는 이야기일까?

"저, 이걸……. 도중에 산 거예요. 신 군에게 잘 어울릴 것 같아서요."

시실리는 이공간에서 검은 재킷을 꺼내면서 그렇게 말했다.

"신 군은 평소에도 검은 상의를 자주 입으니까 혹시 좋아하는 색인가 싶어서요."

"시실리……."

이런, 엄청 기쁘다.

"입어 봐도 될까?"

"예! 물론!"

재킷은 내 몸에 딱 맞았다.

"응, 멋지네. 마음에 들었어. 고마워, 시실리."

"아뇨, 기뻐해 주셔서 다행이에요."

시실리는 그렇게 말하면서 웃었다.

……나도 선물을 사두길 잘했다.

"시실리, 나도 주고 싶은 게 있어."

나도 이공간에서 몇 장의 스카프를 꺼냈다.

"어?"

"너랑 잘 어울릴 것 같아서……. 어때?"
"와…… 고마워요!"
시실리도 바로 스카프를 펼쳐서 목에 둘렀다.
"고마워요, 신 군. 정말 기뻐요."
"기뻐해 주니 다행이네."
"신 군……."
"시실리……."
따로 약속한 것도 아닌데 서로에게 줄 선물을 산 우리.
왠지 마음이 통한 것 같아서 기뻤다.
시실리도 같은 생각인지 젖은 눈으로 날 바라보고 있었다.
그렇게 우리의 얼굴이 서서히 가까워지자…….
"잠깐! 여긴 식당! 공공장소!"
마리아의 태클 덕분에 제정신이 돌아왔다.
헉! 위험했어!
나와 시실리를 본 다른 손님들도 놀리기 시작했다.
"정말이지! 옆에 있는 내가 다 부끄럽다니까!"
미안, 마리아. 예상치 못한 선물이라 너무 기뻐서…….
"아으…… 아으……."
시실리는 잠시 내버려 둬야 할 것 같았다.
저러다 밥이나 제대로 먹을 수 있을까?
"오늘 우리 쪽에는 아무 일도 안 일어났는데 너희는 어땠지?"
"예, 아무래도 여덟 명이나 되니 남성분들도 말을 걸어오진 않으시던데요."

"흠…… 이대로 무사히 끝날 것 같지는 않으니…… 다들 마지막까지 긴장을 풀지 말도록."

""""예!""""

젠장! 다들 사건이 일어나는 게 당연하다는 얼굴이잖아! 아무런 반박도 할 수 없으니 더 괴로워!

"아으…… 아으……."

시실리도 당황하느라 날 감싸주지 못했다.

젠장!

다음 날, 우리는 왕도를 떠나기 전에 셰퍼드 의류점으로 갔다.

"오! 잘 왔다!"

"어서 오십시오, 여러분. 외투는 가공을 마쳤습니다."

"감사합니다. 실례지만, 공방을 잠시 빌려도 괜찮을까요?"

"공방을…… 말씀이십니까?"

"예, 바로 마법을 부여하고 싶어서요."

종업원은 의아한 얼굴을 하다가 내 말을 듣고 눈을 부릅떴다.

"직접 마법을 부여하신다고요?!"

"굉장하군. 그렇게 강하면서 부여 마법까지 쓸 줄 아는 건가?"

"예, 뭐……."

"허어……."

난 감탄하는 가란 씨를 두고 공방으로 가서 열네 벌의 망토에 자동 치유 마법을 부여했다.

"오, 벌써 끝났어?"

"예, 감사했습니다. 그럼 우리는 이만 가볼게요."

"그래, 또 언제든지……."

오그와 내 볼일도 끝났으니 슬슬 다음 나라로 떠나려 한 순간.

"크, 큰일 났습니다! 가란 씨!"

젊은 양치기가 당황한 얼굴로 가게에 뛰쳐 들어왔다.

뭐지……? 설마?

"뭐야? 무슨 일이길래 그래?"

"야, 양이……."

"양이 왜?"

"마물 양이 대량으로 발생했습니다!"

"뭐, 뭐라고?!"

끝에 가서 이러기냐…….

"역시 사건이 일어났군……."

"이번에도 또…… 왠지 신빙성이 더 높아졌는걸."

"내 탓 아니거든! ……아니겠지?"

아니지? 아니라고 말해!

"미안하다, 신. 골치 아픈 일이 일어난 것 같아서 난 좀 가 봐야겠다."

갑자기 사건이 일어나는 바람에 제대로 배웅을 해주지 못하는 게 미안했는지 가란 씨가 사과했다.

하지만 우리도 이런 큰일이 벌어졌는데 그냥 못 본 척하고 떠나는 건 찝찝했다.

그래서 이렇게 제안했다.

"아, 저희도 갈게요."

"어? 아니, 말은 고마운데…… 정말 괜찮겠어?"

"예, 그리고 여기서 활약하면 이름도 좀 팔리겠죠?"

내가 그렇게 말하자, 가란 씨는 잠시 어안이 벙벙한 얼굴을 하더니 곧 호쾌한 웃음을 터트렸다.

"으하하하! 하긴 그렇겠군! 그럼 부탁 좀 하지."

"예, 맡겨만 주세요."

"잠깐! 잠깐만요, 가란 씨! 대체 무슨 생각이신 겁니까?!"

"응? 아, 걱정하지 마. 이 녀석들은 강해."

"한두 마리가 아니라고요! 그런 놈들을 상대로 이런 어린 애들이 대체 뭘 할 수 있다는 겁니까!"

하긴 이제 갓 성인이 된 우리가 미덥지 못하게 보이는 건 인정하겠지만, 가란 씨의 말은 믿어줘도 좋을 텐데 말이다.

"그렇게 내 말을 못 믿겠냐?"

"아…… 아뇨……. 그런 건……."

가란 씨가 그렇게 말하자, 젊은 양치기가 말꼬리를 흐렸다.

그렇게 가란 씨가 무섭나?

……그야 무섭겠지. 외모만 봐도 이런데.

"걱정하지 않아도 이 녀석들의 실력은 내 눈으로 직접 봤다. 전력으로는 차고도 넘쳐. 오히려 우리가 방해나 되지 않을지 걱정이군."

"가, 가란 씨가 방해가 된다고요?!"

"이런! 이렇게 수다나 떨 때가 아니었지. 그럼 신, 슬슬 가자."

"예. 그럼…… 메이랑 에리는 성벽 위에서 견학하자. 오그, 네가 두 사람이랑 같이 있어 줄래?"

마물을 토벌하러 가는 건 상관없지만, 메이와 에리는 아직 일반인이니 안전을 확보해둘 필요가 있었다.

그래서 오라버니이자 약혼자인 오그에게 부탁했다.

"흠…… 나중에 올 관리에게 사정을 설명할 사람도 필요할 테니…… 알았다. 내가 둘을 호위하도록 하지."

"오라버니가 호위라니, 왠지 이상해요."

"예……. 평소에는 호위를 받는 입장이시니까요."

듣고 보니 그 말대로였다.

평소에는 호위를 받는 왕자님이니까 말이지.

늘 날 가지고 규격 외니 뭐니 하고 놀리지만, 오그도 이젠 충분히 규격을 벗어난 왕자님이었다.

"자, 가자."

"하와! 잠깐 기다려 주세요!"

"그럼 여러분, 잠시 후에 뵙겠습니다."

"그래. 그럼 가자."

"예~!"

"왜 이렇게 태도가 가벼운 거지……. 우린 놀러 가는 게 아니건만……."

젊은 양치기가 혼자 투덜거렸지만, 뭐. 양이잖아? 이젠 호랑이나 사자도 아무렇지 않게 사냥하는 우리 멤버들이 긴장할 리가 없었다.

다만, 이 사실을 말하면 상황이 골치 아파질 것 같아서 입을 다물고 성벽 밖으로 나왔다.

가란 씨 말고도 양치기들이 잔뜩 모여 있었다.

"오, 왔구나. 가란."

"어서 오세요! 가란 씨!"

"기다렸습니다!"

오오, 체격이 좋은 양치기들이 가란 씨를 향해 일제히 고개를 숙였다.

숙이지 않은 건 가란 씨에게 말을 놓은 사람뿐이었다.

그건 그렇고 할버드를 들고 로브를 입은 근육 집단이라니…… 진짜 여러모로 무시무시한 광경이었다.

할버드는 다들 똑같은 걸 들고 있었다.

설마 저게 국가 양양가의 증표인 걸까…….

“그런데 그 꼬맹이들은 누구지?”

가란 씨에게 말을 놓은 사람이 이쪽을 힐끔 노려보았다.

눈빛이 무서워!

“너무 노려보지 마, 버락. 이 녀석은 신. 이번 사태를 해결하는 걸 도와주고 싶대서 데려온 거다. 아, 미리 말해두는데 이 녀석들은 전부 상당한 실력의 고위 마법사니까, 정말 싸울 수 있겠느냐는 질문은 하지 말고.”

“네가 그렇게까지 말한다면 더 따지지는 않겠는데…… 왜 우릴 돕겠다는 거지?”

당연한 질문이다. 마물 양은 국가 양양가만 취급할 수 있다. 딱히 콩고물이 떨어지는 것도 아니니 병사를 제외하면 이 토벌에 참가할 이유가 없으리라.

“가란 씨가 여러모로 편의를 봐주셨거든요. 그 은혜를 갚을까 해서요.”

“흐, 흐하하하! 그래, 은혜 갚기라. 그랬군.”

오? 뭔가가 통했나 보다. 화를 내지 않아서 다행이네.

“왔다! 양 무리다!”

가란 씨의 친구인 듯한 버락 씨와 대화를 나누고 있는데 누군가가 그렇게 외쳤다.

오, 굉장하다. 저게 전부 다 마물 양인가? 대충 봐도 백…… 아니, 2백 마리는 되겠는걸.

“다들, 겁먹지 마라! 오히려 한탕 벌어들일 찬스라고 생각해!"

가란 씨가 그렇게 호령하자 양치기들의 표정이 바뀌었다.

다들 흉험한 미소로 양 무리를 노려보았다.

그러니까 눈빛이 무섭대도!

"신, 미안한데 양털에 그을음이 남는 화속성 마법은 피해 줄 수 있겠어?"

"상처는요?"

"실로 쓸 거니까 상처는 상관없다."

"그렇다고 하시네. 얘들아, 화속성 마법은 쓰지 마."

""""예~.""""

눈곱만큼도 긴장감이 느껴지지 않는 대답이었다.

그러는 사이에 양 무리가 가까이 접근했다.

마물이 된 동물이 체구가 거대해진다.

그리고 마물화는 일반적으로 수십 마리 중 한 마리의 빈도로 발생하지만, 이번에는 그 수십 마리가 모조리 마물로 변화했다.

명백히 비상식적인 광경.

양치기들도 평소에 눈에 익은 양들의 모습이 아니라 거대해진 마물 양이 무리를 이룬 모습을 눈앞에서 목격하자 약간 사기가 떨어진 것 같았다.

"이, 이 광경은 대체……."

멀리서 보이는 양들이 지척까지 다가오자, 그 집단이 풍기는 압력에 위축된 기색이었다.

그럼 양치기들의 사기를 올릴 겸 선제공격이나 해볼까.

난 땅에 손을 대고 마법을 썼다.

그러자 마물 양 무리의 눈앞에서 끝이 뾰족한 말뚝이 대각선으로 튀어나왔다.

—음메에에에!

선두에서 달려오는 열 몇 마리가 그대로 찔려서 단말마를 질렀다.

양치기들은 그 광경에 넋을 잃고 있었다.

"뒤에서 뛰어넘어 옵니다! 전투 준비!"

하지만 내 목소리에 제정신으로 돌아온 그들은 사기 탱천해서 양들을 차례차례 토벌했다.

오, 굉장하다. 근육 집단이 할버드를 마구 휘두르면서 양들을 사냥하고 있다.

우리도 돕겠다고 나선 이상 어느 정도 성과를 올려야 체면이 서겠지.

"좋아. 우리도 가자."

"오~! 그럼 나 먼저~!"

내 호령에 대답한 앨리스가 가장 먼저 양 무리를 향해 달려들었다.

"으, 늦었어."

이어서 린도.

두 사람은 마물 양과 접근하자, 각각 마법을 펼쳤다.

둘 다 압축된 물의 칼날 마법을 썼다.

가까운 거리에서 마법에 노출된 양들의 목이 가볍게 날아갔다.

"어때? 내가 더 깔끔하게 잘랐지?"

앨리스가 의기양양하게 자랑했다.

"어설퍼. 앨리스가 한 건 몸통에 가깝잖아. 내가 한 게 머리에 더 가까워."

그러자 린도 절단면보다 깨끗하게 확보한 양털의 양을 자랑했다.

"으~! 그럼 이번에는 좀 더 머리에 가까운 위치를 자를 거야!"

"네가 할 수나 있을까?"

"할 수 있어!"

어째선지 경쟁을 하고 있었다.

내가 앨리스와 린을 지켜보는 사이에 발생한 바람의 칼날이 마물 양 두 마리의 목을 동시에 떨어트렸다.

"아, 몸에 가까운 부분을 잘라 버렸네. 여러 곳을 동시에 노리는 건 어려운걸."

마리아는 두 마리를 한꺼번에 해치우는 시도를 했다. 하지만 본인은 결과에 납득하지 못한 기색이었다.

"아!"

이번에는 또 누구지?

"아~ 일 저질렀네요……."

목소리의 주인은 올리비아였다. 그 앞을 응시하자 정수리부터 두 동강이 난 양의 사체가 보였다.

"아, 뭐 나중에 실로 만들 거라고 했으니 문제없지 않을까?"

"으으…… 하지만 다들 깔끔하게 사냥하는데……."

마물을 정수리부터 두 동강을 내 버린 자칭 마을 소녀.

아무리 세상이 넓어도 이런 일이 가능한 여종업원이 또 있을 것 같아?

자, 그럼 다들 열심히 사냥하고 있으니 내 차례는…….

그 순간, 바로 근처에 벼락이 떨어졌다.

"우왓! 깜짝이야!"

전투에서 전격 마법을 주로 쓰는 건 오그뿐이다.

젠장! 나도 모르게 겁먹었잖아!

난 오그에게 불평이나 해주려고 다가갔다.

"흠. 꽤 성공적이군."

"저격입니까……. 전격으로 용케도 성공하셨군요."

"전하께서도 규격을 꽤 많이 벗어나셨구려."

"신이랑 똑같이 취급하지 마."

변함없이 실례되는 말만 한다니까! 저 트리오는!

아무튼 오그가 토벌한 양은 전격이 명중한 머리가 깔끔하게 날아간 상태로 누워 있었다.

다루기 어려운 전격 마법을 이렇게까지 정확하게 쓸 줄이야.

젠장, 오그 주제에 건방져!

"뭐해? 신. 넌 안 싸워?"

오그가 살짝 도발적인 말투로 말했다.

좋아. 그럼 나도 참전해주지.

나는 오른손을 펼치고 다섯 손가락에 압축된 공기 탄환을 하나씩 생성했다.

그리고 목표를 지정해서 발사.

푸슛 하고 공기가 빠지는 듯한 소리를 내며 제각기 날아간 탄환이 마물 특유의 붉은 눈에 명중했다.

그러자 두개골이 파괴된 마물 양들이 생명 활동을 정지했다.

겉에 상처도 안 남았으니 개인적으로는 만족스러운 결과였다.

그리고 내가 주위를 둘러보자…….

"잠깐! 상처가 하나도 안 생겼잖아!"

"월포드 군, 치사해."

"난 두 마리를 잡는 데도 고생했는데 다섯 마리라니……."

"저 같은 건……. 으으……."

누가 더 깔끔하게 사냥했는지로 경쟁하던 앨리스와 린이 불평을 터트렸고, 동시에 여러 마리를 노리는 것에 도전하던 마리아가 살짝 낙담한 데다, 올리비아는…….

나중에 마크에게 위로해주라고 해야겠다.

"에잇! 나도 똑같이 해볼래!"

"내가 먼저."

앨리스와 린이 또 양 무리 쪽으로 달려갔다.

"저러다 둘이서 전부 다 잡아버리는 거 아닌가?"

기세 좋게 달려가는 모습에 절로 그런 말이 새어 나왔다.

"뭐, 어때. 마물은 놓쳐버리면 나중에 더 골치 아파지잖아."

"토니, 넌 안 가도 돼?"

"아무래도 양은 손맛이 적어서……."

하긴 요즘은 주로 재해급만 상대했으니 당연한가.

"뭐, 이번에는 다른 애들이 연습대로 쓰라고 양보할게. 난 다음번에 싸우지 뭐."

이렇게 해서 묘하게 의욕이 넘치는 앨리스와 린을 필두로 다 같이 마물을 토벌했다. 솔직히 우리 수준으로는 토벌이라기보다 마법 훈련에 가까웠지만 말이지.

그러는 사이에 마물 양 무리는 눈 깜짝할 사이에 전멸했다.

뭐, 기껏해야 양이니까.

그건 그렇고 카난 왕국 입장에서는 중대사라 병사들까지 참전했는데…… 내가 보기엔 양치기들이 압도적으로 더 강했다.

역시 이 나라의 최강은 양치기들인가 보다.

"굉장해! 설마 이 정도일 줄은 예상도 못 했어!"

"맞아……. 이 녀석들이 거의 다 해치운 거 아닌가?"

"저기…… 조, 조금 전에는 무례한 발언을 해서 죄송했습니다……."

그런 생각을 하고 있는데 양치기들이 이쪽으로 모여들었다.

"뭐, 양인걸요."

"그렇게 말할 수 있는 게 더 굉장한 것 같은데…… 너흰 평소에 대체 뭘 잡고 다니는 거야?"

"하하, 뭐 그냥저냥……."

"이 정도면 호랑이나 사자를 잡는다고 해도 믿을 수 있겠군."

"아무래도 그건 아니겠지."

"그건 그래."

""으하하하!""

아, 역시 그런 인식이었구나. 밝히지 않길 잘했다.

양치기들과 이야기를 나누고 있자, 우리 일행도 곧 합류했다.

자, 그럼 이제 할 일도 없으니 슬슬 출발해볼까?

그러자 가란 씨의 친구인 버락 씨가 다가와서 손을 내밀었다.

"이번에는 덕분에 살았다. 난 버락. 버락 크루크다."

"아, 전 신. 신 월포드예요."

악수를 하며 서로 자기소개를 했다.

그러고 보니 가란 씨에게는 성을 가르쳐주지 않았다.

가란 씨가 이름만 가르쳐줘서 나도 반사적으로 이름만 밝혔다.

그래선지 가란 씨가 내 풀 네임에 반응했다.

"월포드? 그 영웅과 같은 성인가?"
"음, 외국에서도 유명한가 보죠?"
"당연하지. 현자 멀린 월포드의 영웅담은 전 세계로 퍼진 이야기야. 이렇게 말하는 나도 어릴 때는 동경했었지."
이렇게 멀리 떨어진 나라에서도 유명했을 줄이야.
"……할아버지가 알면 기겁할지도……."
"할아버지?
"아, 멀린 월포드는 우리 할아버지거든요."
"뭐?! 어? 엥?"
"이야기는 끝났나? 그럼 슬슬 출발하자."
"응, 알았어. 그럼 가란 씨, 버락 씨. 이만 실례할게요."
아, 드디어 출발하는구나. 다음은 크루트 왕국인가. 그러고 보니 이 나라에 관해선 아직 들은 게 없었다.
나는 그런 생각을 하면서 카난 왕국을 뒤로했다.
""""뭐라고오오오오오오?!""""
그러자 뒤에서 절규에 가까운 목소리가 들리는데…… 뭐지?

◆

"그러고 보니……."
"왜 그러시죠? 제스트 님."
옛 제도의 황성에서 제스트가 뭔가를 떠올린 것처럼 중얼거렸다.

그러자 밀리아가 의아한 얼굴로 이유를 물어보았다.

"저희가 내버려 둔 마물 양들은 어떻게 됐을까요?"

"듣고 보니……."

밀리아도 계획의 첫 단계가 성공했다는 사실에 주목하느라 마물로 만든 양들의 존재를 지금까지 까맣게 잊고 있었다.

"뭐, 아무렴 어떻겠습니까. 기껏해야 양인데."

"그렇겠죠."

하지만 기껏해야 양일뿐이라며 무시하자는 방침을 굳혔다.

"로렌스."

"예!"

제스트의 안에서 마물 양에 관한 일은 이미 정리가 끝났는지 옆에 서 있는 로렌스를 불렀다.

"이제 곧 신 월포드 일행이 크루트에 도착할 거다. 마인들은 어떻게 움직이고 있지?"

"예. 이미 다음 목표를 크루트로 정하고 습격할 날을 고르는 단계입니다."

제국의 첩보부대였던 슈투름의 부하들은 이미 신 일행이 알스하이드를 떠나 각국을 방문하고 있다는 정보를 입수해서 제스트에게 보고를 마친 후였다.

신 일행이 마물 양들을 토벌한 것까지는 아직 알지 못했다.

하지만 어제 카난 왕국에 도착했다는 정보는 입수했다.

그리고 왕태자가 회담을 마치고 오늘쯤 크루트에 도착할 거라는 건 이미 예상하고 있었다.

"신 월포드 일행이 크루트에 도착한 뒤에 마인들이 습격하게끔 유도해."

제스트는 신 일행의 공략 방법을 찾기 위해 이탈한 마인들을 희생양으로 삼는 계획을 세웠다.

그래서 마침 신 일행이 크루트에 도착하는 타이밍을 노려서 마인들의 습격을 유도하기로 했다.

시기와 장소만 파악하고 있으면 문제없이 관찰할 수 있으리라.

"예! 알겠습니다."

그리고 로렌스는 가엾은 배신자들을 산제물로 바치기 위해 움직이기 시작했다.

◆

떠나기 전에 사건에 휘말린 카난 왕국을 뒤로 한 우리는 최종 목적지인 크루트 왕국으로 향하는 중이었다.

"그런데 마지막으로 가는 크루트 왕국은 어떤 나라야?"

카난 왕국의 왕도를 떠나고 잠시 후, 날아서 이동하는 중에 아직 크루트 왕국에 대해 아는 게 없다는 것을 떠올렸다.

"크루트 왕국은 곡물, 특히 보리의 생산지로 유명해요."

"식량자급률이 3백 퍼센트를 넘는다더군. 그 나라에서 보리를 수입하는 나라도 많아."

"그 덕분에 보리가 싸서 빵 종류가 풍부해. 전 세계에 퍼져 있는 빵은 대부분 이 나라에서 처음 만들어졌다고 들었어."

토르와 오그와 마리아가 순서대로 마지막 방문지인 크루트 왕국에 관해 설명해주었다.

"흐응, 그렇구나. 역시 잘 아네."

"전부 중등학원에서 배웠으니까."

일반교양의 교육 과정은 중등학원에서 거의 다 끝난다고 한다.

하지만 난 고등 마법학원의 입시 과목에 지리와 세계사가 없다 보니 지금까지 공부한 적이 없었다.

"그런 의미로 따지면 메이 공주님은 현지에서 지리를 배우시는 셈이네요."

"수업은 졸리지만, 이 공부는 재밌어요!"

"메이, 너 학교 수업은 제대로 받고 있는 거야?"

"아와와, 실언이었어요!"

내가 당황하는 메이의 모습에 흐뭇한 미소를 짓고 있자, 마크가 뜻밖의 화제를 꺼냈다.

"크루트 왕국은 굳이 따지자면 현자님보다 도사님이 더 인기가 많습다."

"어? 그래?"

"아, 하긴 그럴지도."

토니도 그 말에 동의했다.

"뭐…… 할머니도 옛날에는 화려하게 활약한 것 같으니 인기가 많아도 이상하진 않겠지."

"그런 게 아니라 좀 더 실리적인 이유에섬다."

"실리적인 이유?"

뭐지? 혹시 마도구와 관계가 있는 건가?

"뭐, 크루트 왕국에 도착하면 바로 알 검다."

하지만 마크는 가르쳐주지 않았다.

음…… 신경 쓰이네.

그래도 뭐, 말마따나 도착해서 보면 알겠지.

그럼 이제부터 그 광경을 기대해보자.

그리고 여느 때처럼 걸어서 국경을 넘고 다시 하늘로 날아올랐다.

"오, 카난 왕국이랑 달리 곡창지대인가……."

"이것도 굉장한 광경이네. 위에서 보면 이렇게나 인상이 다르구나."

"보리로 된 융단 같아요!"

예전에 본 적이 있다는 마리아도 감탄했고, 메이의 감상은 이 광경을 적확하게 표현했다.

아직 수확이 먼 보리밭은 황금색은 아니었지만, 그야말로 녹색의 융단처럼 보였다.

"이건 굉장하네……. 식량자급률이 높다는 이야기도 수긍이 가."

하지만 한 가지 의문이 떠올랐다.

"이 정도로 넓으면…… 수확하는 것도 보통 일이 아니겠네."

이걸 인간의 손으로…… 무리 아닌가?

"그래서 아까 그 이야기를 한 겁다."

"할머니가 더 인기가 많다는 거?"

"예. 이렇게 광대한 밭을 수확하는 건 인간의 손으론 무리겠죠?"

"그야 무리겠지."

이제야 무슨 뜻인지 알겠다.

"즉, 할머니가 수확하는 데 도움이 되는 마도구를 개발했다는 거야?"

"그 말대로임다. 그리고 밭을 가는 마도구도요. 크루트 왕국은 비옥한 땅이 많아서 과거에도 보리의 생산이 많았슴다. 하지만 일손 문제로 수확량을 더 늘릴 수가 없었슴다. 마침 그때 도사님이 밭을 가는 마도구와 수확과 탈곡을 동시에 하는 마도구를 개발하신 덕분에 수확량이 폭발적으로 증가하는 극적인 변화를 맞이했슴다. 지금 현자님보다 도사님을 더 영웅시하는 목소리가 큰 것도 그래서 임다."

그랬군.

밭을 확장하고 싶지만, 일손이 부족했다. 마침 그때 할머니가 트랙터와 콤바인을 개발해서 도입했다는 거군.

진짜 굉장하다. 필요는 발명의 어머니라는 말이 딱 들어맞았다.

"지금도 허그 상회 크루트 지부의 매출 절반은 경운기와 수확기의 판매비와 점검 보수라고 아버지한테 들은 적이 있어!"

아버지가 허그 상회의 경리담당자인 앨리스가 보충 설명을 했다.

"민중을 위해 마도구를 창조했다니…… 역시 멜리다 님이셔~. 더더욱 존경스러워~."

일반인에게는 전투에 쓰는 마도구보다 생활에 밀접하게 관여한 마도구가 더 도움이 되는 법.

할아버지는 뭐, 이른바 전시의 영웅이고 할머니는 생활 수준을 향상시켜준 민중의 편이라는 뜻이겠지.

나는 그런 두 사람의 손자라는 사실이 새삼 자랑스러웠다.

"그런 영웅들의 손자가 이런 비상식적인 트러블 메이커라니."

"의도적으로 일으킨 거 아니거든?!"

내가 일으킨 게 아니라 멋대로 일어난 거라고!

"그보다 크루트 왕국에 도착하면 어쩔 거지? 혹시 볼일 있어?"

"아니…… 딱히 떠오르는 건 없는데……."

난 요리에 열정을 쏟아붓는 타입도 아니고 딱히 쌀밥이 먹고 싶은 것도 아니라 굳이 쌀을 찾을 생각도 없는데……

대체 뭘 하면 좋을까?

“그럼 선물로 크루트 왕국산 빵이라도 사서 대기하고 있어. 오늘 저녁에는 왕도로 돌아갈 거니 마지막 날 정도는 아무 일 없이 마치고 싶군.”

“……아침부터 사건에 말려들었는데 말이지.”

“말꼬투리 잡지 말고. 아무튼 얌전히 있어.”

마치 내가 일부러 사건을 일으킨다는 것 같은 말투였다.

하지만 이 여행 중에 사건에 말려들지 않은 날이 없었던 것도 사실이었다.

내 탓은 아니라고 생각하지만, 그래도 일말의 불안감을 느끼면서 크루트 왕국의 왕도에 도착했다. 오그 일행은 바로 회담을 하기 위해 성으로 갔다.

우리는 오늘 돌아갈 예정이라 여관에 방을 잡을 필요가 없었기에 일단 시간 때울 겸 거리를 돌아다니기로 했다.

“오…… 좋은 냄새가 나네.”

“여기저기서 빵을 굽는 고소한 냄새가 나네요.”

“배고파요.”

오늘은 다들 딱히 하고 싶은 일도 없어서 함께 움직이고 있었다.

거리로 나오자 주위에서 좋은 냄새가 났다.

마침 정오에 도착해서 그런지 걷기만 해도 배가 고팠다.

“아! 샌드위치 팔고 있어! 다 같이 사 먹자!”

앨리스의 말을 듣고 주위를 둘러보자 샌드위치와 크레이프를 먹으면서 걷는 사람들이 많이 보였다.

이 나라에선 저런 스타일이 일반적인 모양이다.

다종다양한 샌드위치 노점이 보였다. 고기가 중심인 가게, 채소가 중심인 가게, 과일이 중심인 가게 등 저마다 상품을 차별화하고 있어서 여러모로 눈길이 갔다.

여성진은 주로 채소와 과일을, 남성진은 고기가 중심인 가게에서 샌드위치를 샀다.

나는 다양한 햄과 오이와 양상추가 든 샌드위치를 샀다.

개인적으로는 이 조합이야말로 최강이 아닐까 싶다.

"그게 무슨 소리야. 베이컨이랑 토마토랑 양상추가 최강이지."

"그건 아니지. 양파랑 올리브의 조합은 진짜……."

"무슨 말씀이세요. 샌드위치라면 양상추랑 햄이랑 치즈잖아요?"

"그럴 리가."

"그건 좀 아니죠."

응, 저마다 취향이 다르다는 건 잘 알았다. 결론이 나올 낌새가 없었다.

식빵이 아니라 가늘고 긴 빵을 쓴 샌드위치라 다 같이 걸으면서 먹는 김에 어떤 조합이 가장 맛있느냐는 화제로 열변을 토했다.

나를 제외한 열 명이 동시에 주장하고 있어서 누가 무슨 소리를 하는지 제대로 들리지도 않았다.

아무튼 그렇게 거리를 느긋하게 돌아다니고 있는데 마침 길모퉁이의 서점 처마에 젊은 남녀의 그림이 걸려있는 게 눈에 들어왔다.

"아, 현자님과 도사님이다!"

"뭐……뭐라고……?"

젊은 데다 도발적인 미소를 지은 거친 타입의 흑발 훈남의 그림과 안경을 쓴 이지적인 외모지만 어딘지 모르게 요염한 느낌이 드는 붉은 머리의 여성 그림을 본 앨리스가 충격적인 사실을 언급했다.

이게 우리 할아버지와 할머니를 그린 그림이라고……?

"하아…… 멋져~. 멜리다 님."

"이쪽의 현자님도 잘 그렸네요."

할아버지와 할머니의 현재 모습을 아는 마리아와 에리도 옛날 모습을 그린 그림을 보고 황홀해 했다.

"그건 그렇고 역시 크루트 왕국답습다. 현자님보다 도사님 책이 더 많네요."

다들 그림을 지켜보는 가운데, 마크만 혼자 다른 곳에 주목한 모양이었다.

"어? 책은 하나만 있는 거 아니야?"

"그럴 리가. 현자님과 도사님을 다룬 책은 지금도 매년 몇 권씩 신간이 나오고 있는걸."

"처음에 나온 책이 원본이라고 볼 수 있겠지만, 세간에 알려지지 않은 비화를 다룬 책부터 완벽한 2차 창작물에 이르기까지 온갖 장르의 책이 나오고 있는걸요."

마리아와 시실리는 자못 당연한 일이라는 듯이 말했다.

할아버지, 할머니……. 이건 내가 상상했던 것보다 더하잖아…….

"음~ 지금의 연륜 있는 모습도 멋지지만, 이 그림도 멋지네요."

"나는 태어났을 때부터 노인인 모습밖에 모르는데……."

지금보다는 약간 젊었지만, 그래도 할아버지와 할머니였다.

그렇게 가족의 옛날 그림을 보고 있으려니 왠지 등이 근질거리는 기분이었다.

"너희는 알스하이드 왕국에서 온 거니?"

"예? 아, 예. 어떻게 아셨어요?"

우리가 처마에 걸린 그림을 보면서 대화를 나누고 있자, 서점주인 아주머니가 말을 걸었다.

"거기 있는 형씨가 최근 두 분을 봤다고 말한 걸 들었거든. 두 분이 손자분을 데리고 알스하이드로 돌아오셨다는 이야기는 유명하니 너희도 거기서 왔나 싶었지."

"아, 그러셨나요."

그 이야기가 벌써 이런 외국까지 퍼진 거야?

"어? 두 분을 봤다고?"
"세상에! 부러워라!"
"딱 한 번만이라도 좋으니까 나도 뵙고 싶어~."
이야기를 듣고 사람들이 모여들었다.
저마다 할아버지와 할머니를 엄청나게 칭송했다.
내가 뭐라 형언할 수 없는 근질거림을 느끼고 있자, 메이가 실언을 하고 말았다.
"신 오빠가 쑥스러워하고 있어요."
"왜 형씨가 쑥스러워하는 거지?"
"신 오빠는 멀린 님과 멜리다 님의 손자거든요!"
그 순간, 주위의 시간이 완전히 멈추었다.
다들 방금 들은 말을 머릿속으로 정리하고 천천히 내 쪽을 돌아보았다.
"두 분의 손자?"
"진짜? 거짓말이 아니라?"
"아니…… 이런 조그만 애가 그런 거짓말을 할 리가 없잖아."
"그리고 두 분의 이야기를 쑥스러운 얼굴로 들었다고……."
"그럼……."
꿀꺽…….
""""지, 진짜 두 분의 손자?!""""
다들 일제히 나에게 달려들었다.
"하와!"

"죄송해요! 실례하겠습니다!"

"잠깐! 잠깐만 기다려!"

"사인! 사인을!"

"악수! 악수 좀 해주세요!"

사인? 악수? 그런 아이돌 같은 짓을 어떻게 해!

나는 옆에 있던 메이를 옆구리에 끼고 잽싸게 도주했다.

"메이! 저런 데서 그런 사실을 밝히면 이렇게 되는 게 당연하잖아요!"

"아으…… 죄송해요……."

내 옆구리에 낀 메이의 얼굴이 침울해졌다.

"에리, 메이를 너무 책망하지 마. 악의가 있었던 건 아니잖아."

"신 씨! 당신 탓이거든요?!"

"내 탓……인가?"

"이 소동은 확실히 네 탓이지."

"그보다 에리는 괜찮겠어?"

앨리스가 달리고 있는 에리를 걱정하는 말을 듣고 나도 그쪽을 돌아보았다.

"하아! 후우! 이젠 한계예요!"

결국 다같이 도망쳤지만, 마법으로 신체를 강화하지 못하는 에리가 벌써 체력에 한계를 느끼고 있었다.

하지만 그 자리에 에리만 남겨둘 수는 없었다.

그랬다간 내 일행이라는 이유로 사람들에게 엄청 시달렸을 테니까.

참고로 메이는 내가 계속 옆구리에 끼고 달리는 중이었다.

"잠깐, 실례!"

"어? 꺄악! 애, 앨리스?"

"이러면 문제없잖아!"

우리 일행 중에서 메이를 제외하면 가장 체격이 작은 앨리스가 에리를 옆으로 들쳐 안았다.

작은 체구의 소녀가 자기보다 큰 여자애를 안아 들고 달리는 건 참으로 신비한 광경이었다.

"그건 그렇고……."

"왜 그러시죠?"

본인의 의지로 에리를 안았을 텐데 앨리스의 표정이 무척 험악했다.

왜 저러지?

"아까부터 출렁출렁, 출렁출렁! 지금 나한테 시비 거는 거지!"

"일부러 이러는 게 아니예요!"

"뜯어버린다!"

"뜯지 마세요!"

대체 뭘 하는 건지…….

자신이 간절히 바라는 것을 가진 에리에게 앨리스의 질투가 폭발했다.

그건 그렇고 아까부터 왠지 사람이 계속 늘어나는 것 같은 기분이 들었다.

큰일 났네……. 이걸 어쩌지?

"월포드 군! 망토!"

"그렇군! 광학미채인가!"

너무 당황하느라 린이 지적하기 전까지 떠올리지 못했다.

망토에 달린 광학미채 기능을 쓰면 다른 사람들의 이목을 속일 수 있다!

"좋아! 그럼 저 골목으로 들어가자마자 광학미채를 쓰자!"

""""알았어!""""

그리고 우리의 뒤를 이어 사람들이 골목으로 몰려들었다.

하지만 그들이 본 것은…….

"어, 어라? 어디로 갔지?"

"말도 안 돼! 조금 전까지 있었는데!"

"이렇게 빨리 모습을 감추다니…… 역시 두 분의 손자분답다고 해야 할지……."

"아아~ 모처럼 사인을 받나 싶었는데."

"어쩔 수 없지. 포기하자."

분명히 우리가 들어갔을 골목에 아무도 없는 것을 본 사람들이 저마다 분한 얼굴로 해산했다.

……하아, 간신히 떨쳐냈네.

골목에 진입하자마자 망토에 부여한 광학미채 기능을 발동한 우리는 사실 계속 그들의 눈앞에 서 있었다.

하지만 우리의 눈에는 저들이 보이는 탓에 무척 조마조마했다.

"다들, 있어?"

"예."

"있어요."

"하아…… 조마조마해서 혼났어!"

"예. 보이지 않는다는 건 알고 있지만……."

"쫓겨 다니는 유명인의 기분을 이해했습다……."

내가 처음으로 입을 열자 시실리, 에리, 앨리스, 토르, 마크가 순서대로 광학미채를 해제하고 모습을 드러냈다.

그건 그렇고 엄청난 소동이었다.

저마다 성대한 술래잡기를 체험한 감상을 나누는 사이에 메이만 홀로 주눅이 들어 있었다.

"왜 그래? 메이."

"……신 오빠, 죄송해요……."

메이가 침울한 얼굴로 사과했다.

아, 조금 전의 실언을 마음에 뒀나 보다.

왕족이라고는 해도 아직 어린애니까 지금까진 발언을 조심해야 하는 상황을 경험해본 적이 없었던 거겠지.

그런 메이를 탓하는 건 너무 가혹한 짓이다.

나는 메이를 바닥에 내리고 머리를 쓰다듬어주면서 입을 열었다.

“신경 쓰지 않아도 돼. 이런 소동이 벌어진 건 내가 할아버지와 할머니의 손자라 그런 거니까.”

“그치만! 그걸 실수로 말해버린 건 저잖아요…….”

“뭐, 어때. 메이는 오늘 실수를 경험했지?”

“……예.”

“그럼 이젠 똑같은 실수는 안 할 거지?”

“이젠 안 해요!”

“응. 그럼 메이는 한 단계 성장한 거네?”

“예!”

“그럼 이 이야기는 이걸로 끝. 난 신경 쓰지 않으니까 너도 마음에 담아두지 마.”

메이는 잠시 내 얼굴을 빤히 바라보다가 눈시울을 적시며 안겨들었다.

“죄송해요, 신 오빠.”

“응. 다음부터는 조심하자.”

“예.”

다들 그런 메이를 따스한 눈으로 지켜보았다.

그 순간.

“왜 이런 곳에 있는 거지?”

“오? 고, 고생했어. 다 끝난 거야?”

회담을 마친 오그 일행이 마침 나타났다.

색적 마법으로 마력을 탐지하고 온 거겠지만, 설마 이런 뒷골목에 있을 줄은 예상하지 못했던 것이리라.

“그래, 순조롭게 끝났어. 남은 건 엘스와 이스의 협력을 받아내는 것뿐이지. 그런데 왜 이런 곳에…….”

“좋아. 그럼 슬슬 돌아갈까.”

“야.”

이유를 밝히면 또 날 놀릴 것 같기도 하고 메이가 혼이 날지도 모르니 대충 얼버무리고 걸음을 옮겼다.

“너희들…… 뭔가 숨기는 거 없어?”

“아니? 그다지. 돌아다니다가 길을 잃은 것뿐이야.”

“……정말이냐?”

“정말로.”

내가 얼버무리려 하는 걸 눈치챘는지 오그는 좀처럼 납득하지 못한 얼굴이었다.

의심스러워하는 시선이 여전하다.

“또 묘한 사건에 말려든 건 아니겠지?”

“내 행동은 사건이 전제냐!”

“그야 당연하지. 지금까지…….”

여느 때와 다름없는 대화를 나누면서 성문 쪽으로 걸어가는데 갑자기 종소리가 들리기 시작했다.

“뭐지? 이 종소리는?”

그리고 성문 쪽에서 병사가 말을 타고 달려왔다.

왠지 불길한 예감이 드는걸…….

"긴급 경보 발령! 마인 습격! 전원, 서둘러 피난하라! 반복한다! 서둘러 피난하라!"

마인들이 습격해왔다는 피난 권고를 외쳤다.

"……이젠 거의 확정적이군."

"나도 진심으로 의심이 가기 시작했어……."

오늘로 벌써 세 번째다! 이게 대체 어떻게 된 노릇이냐고!

"여기서 네 책임 문제를 따져봤자 어쩌겠어. 전원, 전투복으로 갈아입고 요격하자."

""""예!""""

"뭐, 마침 우리가 있을 때 습격을 받은 건 크루트 왕국 입장에선 다행이겠지."

"우리에겐 재난이지만……."

진짜 그렇다니까.

힘을 과신하는 건 아니지만 스이드 왕국에서의 상황을 보아하니 마인과 맞서 싸울 수 있는 건 현재 우리뿐이었다.

그런 우리가 어쩌다 크루트 왕국에 체류하고 있을 때 우연히 마인들이 쳐들어오다니.

……곰곰이 생각해보면 굉장한 우연이었다.

하지만 크루트 왕국의 국민은 조금 전의 그 사람들을 제외하면 우리가 여기에 있다는 사실을 몰랐다.

그래서 혼란에 빠진 사람들은 현지주민, 관광객을 불문하고 모두 사전에 고지된 피난처로 일제히 달려갔다.

그런 소란 속에서 우리는 다시 망토의 광학미채 기능을 켜고 전투복으로 갈아입었다.

이렇게 밖에서 옷을 갈아입을 때도 평범하게 도움이 됐다.

완전히 우연의 산물이지만…….

옷을 다 갈아입었으니 이제 성벽 밖으로 나가야겠는데 메이와 에리는 어쩌지?

"메이와 에리는 오늘 아침처럼 성벽 위에서 대기해. 크루트 왕국에 호위를 붙여달라고 말해두마."

이번에는 왕자님이 호위를 맡지 않으려나 보다.

"괜찮겠어? 위험하지는 않을까?"

"방어 마도구도 있으니 방어에 전념하면 위험할 일은 없겠지."

"굉장해요! 특등석이에요!"

"메이, 경망스럽게 그게 무슨 소리예요! 마인은 인류의 위협이라구요!"

"여러분이라면 전부 물리치실 수 있을 거예요!"

메이가 기대감이 가득한 눈으로 우리를 바라보았다.

"꼴사나운 모습은 못 보여주겠는걸."

"맡겨줘, 메이 공주님! 내 멋진 모습을 보여줄게!"

"하아…… 마인이랑 싸워야 하는데 긴장하지 않는 내가

이상한 걸까~."

"저도 마찬가지예요, 유리 양. 전 분명 일반인이었을 텐데……."

메이의 기대하는 눈을 본 여성진도 의욕이 넘쳤다.

스이드 왕국에서 마인과 전투를 경험한 멤버들은 다들 여유 있는 표정이었다.

긴장하는 것보단 낫겠지만…….

"방심하지 마. 저번에는 슈투름이 없어서 그 정도로 끝난 거야. 이번에도 없을 거라는 보장은 없어."

그러자 오그가 능숙하게 주의를 주었다.

확실히 이번에는 슈투름이 없을 거라는 보장은 없었다.

그리고 이 짧은 기간 동안 연속으로 습격을 시도하는 것에도 무슨 의도가 있는 건 아닐까?

그 이유를 알기 전까지는 방심할 수 없었다.

우리가 성벽에 다가서자 병사들이 이쪽으로 달려왔다.

"이봐! 너희들, 지금 뭐하는 거야! 긴급 경보를 못 들은 거냐?!"

"그걸 듣고 이리로 온 거다. 책임자는 어디에 있지?"

"그, 그게 무슨!"

"뭐야. 무슨 일이지?"

오그와 병사의 대화를 들은 나이가 많아 보이는 병사가 이쪽으로 다가왔다.

"아, 그대인가. 마침 잘됐군."

"응? 아, 아, 아우구스트 전하!"

"예? 뭐라고요?"

중년 병사가 바로 무릎을 꿇었다.

"고개를 들라. 아무래도 큰일이 벌어진 것 같더군."

"예! 조금 전에 성벽의 감시병이 붉은 신호탄을 확인했습니다. 이어서 신호탄이 계속 터졌으니 확실하지 않을까 싶습니다."

"그런가. 우리가 이 나라에 왔을 때 습격해올 줄은…… 이걸 운이 좋다고 해야 할지, 나쁘다고 해야 할지 모르겠군."

"저희 크루트 왕국민에게는 둘도 없는 행운입니다. 그리고 마인 놈들에게는 더 없는 불행이겠지요."

"저, 저기…… 장관님? 이분은……."

군의 높은 사람과 평대 하는 오그의 모습에 당황했는지 조금 전의 병사가 조심스럽게 끼어들었다.

"아, 마침 우리나라를 방문해주신 알스하이드 왕국의 왕태자 아우구스트 전하와 얼티밋 매지션즈의 여러분이시다."

"아우구스트 전하?! 얼티밋 매지션즈?!"

그렇게 외치고 입을 떡 벌린 병사가 허겁지겁 무릎을 꿇었다.

그렇군. 이 중년 병사가 크루트 왕국의 장관이었나 보다. 군의 높은 사람. 오그를 알고 있는 걸 보아하니 회담장에서 만났던 걸까?

"죄, 죄죄죄송합니다! 정말 실례가 많았습니다!"

"됐다. 국민을 배려한 발언이었으니 신경 쓸 것 없다."

"가, 감사합니다!"

오그는 스이드 왕국에서도 그랬지만, 진짜 틈만 있으면 다른 나라의 병사를 회유했다. 병사의 눈에는 눈물이 고여 있었다.

그런 병사에게서 시선을 돌린 오그는 장관이라 불린 인물과 다시 대화를 시작했다.

"자, 그건 그렇고 우리가 이 나라를 방문한 건 바로 이런 상황에 대처하기 위해서다. 마음껏 싸워보도록 하지."

"협력에 감사드립니다. 하오나 마인을 전부 여러분께만 맡기는 건 마음이 편치 않다고 해야 할지……."

외국의, 그것도 왕태자라는 본래 자신들이 지켜야 하는 신분의 인간에게 오히려 보호를 받는 건 마음이 편치 않기도 하겠지만, 분하기도 할 것이다.

"당연히 그대들도 일해 줘야겠다. 알스하이드에서 방어 마도구는 도착했나?"

"예. 통신기와 함께 대여했습니다."

"그 마도구는 마인의 마법을 막을 수 있다. 스이드 왕국에서 실제로 증명을 끝냈지. 공격은 우리가 할 테니 방어를 맡아다오."

"알겠습니다."

역시 오그는 사람을 부리는 게 능숙했다.

전부 맡겨달라는 게 아니라 그들도 할 수 있는 일을 제시해주었다.

"그리고 내 여동생과 약혼자의 호위도 부탁하고 싶군. 뭐, 그녀들에게도 방어 마도구를 들려줬으니 형식뿐인 호위가 될지도 모르겠다만."

"그쪽도 맡겨 주십시오. 만에 하나의 일이 없도록 지켜드리겠습니다."

그런 김에 자신의 가족인 왕족과 고위 귀족의 호위라는 중요한 역할을 맡기는 것도 잊지 않았다. 어디까지나 명분에 가깝기는 하지만.

메이와 에리는 그렇게 크루트 왕국의 병사들과 함께 이동했다.

그리고 성벽에서 멀어지려는 병사를 향해 「성벽 위가 좋아요! 특등석이에요!」라고 요구하는 메이의 목소리가 들렸다.

"긴장감이라곤 눈곱만큼도 없군."

"그만큼 전하를 신뢰하고 계신 것이겠지요."

"나보단 이쪽에 있는 신이겠지."

"오오! 자네가 도사님과 현자님의 손자인가."

아무래도 좋은 일이겠지만, 정말 이 나라에서는 할아버지보다 할머니를 먼저 언급하는구나.

이 나라에는 할아버지를 데리고 오면 안 되겠다. ……공기

화가 더 가속될 것 같으니까.

“신 월포드입니다. 잘 부탁드려요.”

“나야말로. 사실은 두 분의 이야기를 듣고 싶었네만…….”

“지금은 그럴 여유는 없을 것 같죠.”

또 붉은 신호탄이 올라왔다.

그리고 마인 집단이 눈으로 보일 정도의 위치까지 다가왔다.

“자, 그럼 이 나라의 국민에게 선언을 하고 싶다만, 괜찮겠나?”

“예. 잘 부탁드립니다.”

오그는 확성 마법을 발동하고 크루트의 왕국민에게 선언했다.

『크루트 왕국민이여. 진정하고 들어다오. 나는 알스하이드 왕국의 왕태자인 아우구스트 폰 알스하이드다. 현재 이 나라에는 마인 집단이 쳐들어오고 있다. 그대들은 위협을 느끼고 있겠지. 하지만 안심해다오. 그 이유는 오늘 이 나라에 우리 얼티밋 매지션즈 전원이 모여 있기 때문이다.』

국민뿐만 아니라 성벽에 모인 병사들도 오그의 선언에 귀를 기울였다.

『스이드 왕국에서 일어난 사건은 그대들도 잘 알고 있을 거다. 스이드 왕국을 습격한 마인들을 우리 얼티밋 매지션즈가 격퇴했다는 것을. 이렇게 말하는 나도 얼티밋 매지션즈의 일원이며, 그 영웅의 손자인 신 월포드도 있다. 이 자리에서 선언하마. 크루트 왕국은 우리 얼티밋 매지션즈가 반드시 지켜보이겠노라고!』

그렇게 선언을 마친 순간.

“““우오오오오오오오오오오오!”””

성벽 위에 있는 병사들뿐만 아니라 왕도 안쪽에서도 사람들이 큰 환호성을 질렀다.

이것으로 크루트 왕국의 사람들은 불안을 떨쳐냈으리라. 이제 남은 건 저 마인들을 물리치는 것뿐이다.

◆

이 작전을 세운 로렌스를 제외하고 신 일행이 왕도에 있다는 걸 꿈에도 모르는 마인들은 알스하이드 왕국에서 멀리 떨어진 이 크루트 왕국이라면 신 일행과 마주치지 않고 저번 전투로 쌓인 울분을 풀 수 있으리라 여겼다. 하지만 로렌스는 달리면서 그들에게 이렇게 조언했다.

“잘 들으십쇼. 알스하이드에서 멀리 떨어진 이 크루트라고 해서 절대로 그놈들이 나타나지 않을 거라는 보장은 없습니다.”

“이, 이봐. 그게 무슨 소리야. 갑자기 무서운 소리 하지 마.”

얼마 전에 스이드에서 호되게 당한 마인들은 아직도 신 일행을 두려워했다.

그래서 로렌스의 말을 듣자마자 지금까지 희희낙락했던

표정이 급속도로 어두워졌다.

로렌스는 그런 마인들의 반응에 속으로는 한숨을 내쉬면서 뒷말을 이었다.

"만에 하나 그럴 수도 있다는 겁니다. 그러니 만약 이번에도 그놈들이 나온다면……."

"나온다면?"

"여자를 우선적으로 노리세요."

그러자 마인들은 그제야 납득한 얼굴로 외쳤다.

"역시 넌 대단해! 여자부터 먼저 노리면 되잖아!"

"그래! 난 싸울 거다!"

마인들의 분위기가 갑자기 낙관적으로 변했다.

로렌스는 다시 속으로 한숨을 내쉬었다.

'진심으로 마법사가 여자라면 약할 거라고 생각하는 건가? ……그렇게 생각하는 거겠지.'

이건 이것대로 여성진의 전력을 분석하기 위한 희생양으로 써먹을 수 있을 거라며 자신을 타일렀다.

'자, 지금쯤 크루트 왕국에서는 신 월포드 일행이 기다리고 있겠지. 난 이 바보들을 보낸 후에 멀리서 관찰해야겠군.'

지금 자신들이 가고 있는 크루트에는 벌써 신 일행이 대기하고 있으리라.

그 사실을 알고 있는 로렌스는 직접 사지로 뛰어들지 않고 멀리 떨어져서 싸우는 모습을 관찰할 속셈이었다.

그리고 잠시 후, 왕도의 성벽이 보이기 시작하자 크루트 군과…….

"……있군."

나란히 서 있는 신과 그의 동료들이 눈에 들어왔다.

그 모습을 직접 확인한 로렌스는 마인들에게 적진에 신 일행이 있다는 것을 알리지 않고 마법을 쓰라는 지시를 내렸다.

"선제공격을 하죠! 가장 강한 걸로 날립시다!"

그 목소리에 호응한 마인들이 성대하게 마법을 난사했다.

그리고 로렌스는 마법을 쓰지 않고 혼란한 틈을 타서 모습을 감추었다.

◆

지금까지는 멀어서 잘 몰랐지만, 가까이 접근할수록 규모가 명백해졌다.

대충 수십 체 정도일까?

솔직히 언뜻 보는 정도로 정확한 수를 파악하기는 어려운 규모였다.

다만, 아침에 토벌한 마물 양들과 비슷할 거라는 생각이 들긴 했다.

그런 마인들이 마력을 숨기지도 않고 당당하게 발산하면

서 이쪽으로 달려오고 있었다.

자신들의 힘을 과시해서 상대에게 두려움을 품게 하려는 의도일까?

"꽤 가까워졌군. 요격 준비를 시작하라."

"알겠습니다! 전원! 방어 마도구 기동 준비!"

"다들, 안심해. 그 마도구는 여기 있는 신이 만든 물건이다. 신은 조모인 멜리다 님에게 직접 마도구 제작법을 전수받고 본인을 뛰어넘었다는 찬사까지 들었을 정도다. 마인의 마법 정도는 간단히 막을 수 있다."

오그는 이 나라에서 인기가 많은 할머니의 이름을 일부러 언급해서 크루트의 왕국병들에게 믿음을 주려 했다. 그러자 다들 표정이 밝아졌다.

"아! 옵니다! 방어 마도구 기동!"

드디어 마인 집단의 마법이 날아들었지만, 마도구의 능력으로 전부 막아냈다.

"우오오! 굉장해!"

"정말로 막아냈어!"

"이거면 싸울 수 있어!"

"과연 도사님의 손자답군!"

저마다 마도구의 능력에 놀라워했지만…… 역시 카트에 비하면 저 마인들의 마법은 위력이 약해 보였다.

"마인 놈들이 당황하고 있군. 신! 동요하는 사이에 공격하자!"

"응! 알았어!"

지금은 고민할 때가 아니다. 일단 마인들부터 토벌하고 나서 생각하자.

그리고 나와 토니가 제트 부츠를 써서 마인들의 눈앞까지 접근했다.

"으라아아아앗!"

"샤아아아아아!"

바이브레이션 소드를 휘둘러서 전방에 있는 마인을 양단했다.

나와 토니가 각자 하나씩 두 쪽을 내버렸다.

그리고 바로 뒤에서 따라온 다른 멤버들의 마법이 마인들을 순식간에 해치웠다.

마인들도 산발적으로 마법을 날렸지만, 마도구를 쓸 필요도 없이 마력 장벽으로 차단했다.

저번에는 2인 1조로 팀을 짜게 했지만, 이번에는 단독으로도 문제없을 것 같다.

나는 모두의 성장을 실감하면서 주위의 있는 마인들을 차례차례 토벌했다.

"치잇! 이봐! 여자다! 여자를 노려!"

마인 중 하나가 전선에서 바이브레이션 소드를 휘두르는 나와 토니를 피해서 여성진을 목표로 한정했다.

"뭐?! 여자라고 얕보지 마!"

으아아, 마리아 양께서 엄청 화나셨다.

그녀의 주위에서 용솟음치는 마력이 그야말로 미쳐 날뛰고 있었다.

"뼈저리게 느껴봐! 이 쓰레기 자식들아아아아!"

그대로 바람의 칼날로 변한 마력이 소용돌이를 일으키며 마인 몇 체의 육체를 휩쓸었다.

""""끄아아아아아아악!""""

히익! 아프겠다! 마인들은 아무런 저항도 하지 못하고 갈기갈기 찢겨나갔다.

"후우~! 후우~! 다음! 덤벼!"

마리아 양은 참으로 용맹스러웠다.

"하아앗!"

"에잇."

마리아의 활약에 자극받았는지 앨리스와 린 콤비도 순조롭게 마인들을 쓰러트렸다.

아침에 마물 양을 토벌할 때는 쓰지 못했던 불꽃과 폭발 마법을 주로 쓰고 있었다.

이 녀석들도 여자라고 깔봤다고 화가 난 걸지도.

이거라면…….

"어?"

괜찮겠다고 생각한 순간.

시실리에게 접근하는 마인이 있었다.

본인도 그 사실을 깨닫고 요격하려 했지만, 뒤에서도 마인이 접근하고 있다는 건 눈치채지 못했다.

"크! 시실리! 뒤!"

"예?"

눈앞에 있는 마인을 얼음의 창으로 격퇴한 시실리가 내 목소리에 놀라 뒤를 돌아보았다.

그러자 마인은 벌써 마법을 쓸 준비를 마친 상태였다. 하지만 시실리는 방어 마법을 쓰지 못했다.

"꺄하! 죽어라!"

"히익!"

마인이 마법을 날리려 한 순간.

"그렇게 둘까 보냐! 이 얼간아!"

나는 시실리의 눈앞에 게이트를 열어서 단숨에 그녀의 앞을 막아섰다.

"하핫! 이미 늦었……."

마인은 끝까지 말을 잇지 못했다.

시실리의 위기에 머리끝까지 화가 난 내가 푸르스름한 것을 넘어서 새하얗게 변할 정도로 온도를 올린 불꽃 마법을 전력으로 날려서 흔적도 없이 증발시켜 버렸기 때문이다.

"시실리, 무사해?!"

"아…… 예."

시실리는 살짝 몸을 떨고 있었다.

방금 그건 위험했다.

시실리는 굳이 따지자면 공격 마법보단 치유 마법에 더 능했다.

공격 마법을 쓰지 못하는 건 아니지만, 지금까진 모의전도 그다지 경험한 적이 없었다.

그래서 후방에서의 협공을 눈치채지 못했다.

나는 생명의 위기를 느끼고 몸을 떠는 시실리를 감싸 안고 달래주었다.

"내가 있으니까, 안심해."

"후우…… 후우…… 예! 이제 괜찮아요! 싸울 수 있어요!"

시실리는 호흡을 가다듬고 떨리는 몸을 채찍질해가며 고개를 들었다.

사실은 이제 쉬게 하고 싶지만…… 우리는 마인을 토벌하러 여기까지 온 거다.

시실리가 후퇴하면 아군에 사기에 영향을 끼칠지도 모르고, 마인들이 우쭐해질지도 몰랐다.

"……그래. 오늘은 내 곁에서 떨어지지 마. 돌아가면 다시 훈련하자."

"으으…… 미안해요, 신 군. 부탁할게요."

나는 마음을 독하게 먹고 시실리를 전장에 남기기로 결단했다.

마인 자식들, 나의 시실리에게 무슨 짓을!

분노가 내 마력에도 영향을 끼쳤는지 적들뿐만 아니라 아군까지 전투를 멈추고 이쪽을 돌아보기 시작했다.

"이 자식들…… 내가 가만히 있을 줄 알아?"

주위를 에워싸는 눈에 보일 정도로 농밀해진 마력.

나는 이 순간, 마인들을 한꺼번에 날려버릴 작정이었다.

그 정도로 많은 마력을 모았다.

그리고 그 마력을 마법으로 변환하려 한 순간.

『저건 위험해! 다들 흩어져!』

저번에 스이드 왕국에서도 들었던 것 같은 목소리가 울려퍼지자, 마인들이 또 철수하기 시작했다.

"앗! 기다려! 왜 도망치는 거야! 이 자식들아!"

한꺼번에 해치우려 했던 마인들이 도망치고 있다.

시실리의 위기를 목격하고 흥분한 나는 그대로 지향성 폭발 마법을 발동했다.

"기다려, 신! 그 마법은……!"

오그가 뭔가 외쳤지만, 내 마법이 발동한 탓에 끝까지 들리지 않았다.

눈앞에서 대폭발이 일어났다.

폭발로 발생한 분진이 시야를 차단한 와중에 이곳에서 멀어지는 마인들의 마력이 느껴졌다.

망할! 흩어져서 달아나는 바람에 이번에도 일망타진하지 못했어!

또 절반 가까이 놓쳐버렸다.

그 사실이 무척 유감스러웠지만, 일단 크루트 왕국에서 물러났으니 만족하고 등을 돌린 순간.

"어? 뭐야?"

내 앞에는 넋이 나간 크루트 왕국의 장병들과.

쓴웃음을 지은 얼티밋 매지션즈의 멤버들과.

머리를 감싸 쥐고 관자놀이에 힘줄을 세운 오그가 서 있었다.

"신, 너…… 그 마법은 쓰지 말라고 미리 말해둘 걸 그랬군."

"그 마법?"

"폭발 마법 말이다."

"왜?"

"뒤를 봐!"

내가 뒤를 돌아보자…… 이곳으로 올 때 본 비옥한 보리밭이 어마어마한 규모로 사라져 있었다.

"내가 좀 심했나?"

"그걸 말이라고 하냐! 이 멍청아!"

그리고 오그는 진심으로 화를 냈다.

◆

"대체 뭐야! 알스하이드에서 멀어지면 그놈들이 안 오는 거 아니었어?!"

"위험해……. 그 마력은 위험해……."

분노한 신의 마력을 느낀 마인들은 공포를 느끼고 있었다.

그래서 한시라도 빨리 그곳을 벗어나기 위해 한눈도 팔지 않고 전속력으로 질주했다.

마인들을 크루트 왕국으로 유도한 장본인인 로렌스는 약간 뒤쪽에서 따라오는 중이었다.

이번 크루트 왕국 습격 계획을 세운 건 제스트였다.

그의 명령은 이 마인들을 이용해서 신의 약점을 찾는 것.

그래서 로렌스는 마인들에게 얼티밋 매지션즈의 여자들을 노리라고 조언했다.

평민 출신이라 마법을 쓸 줄 몰랐던 마인들은 완력이 약한 여자는 마법도 약할 거라고 착각했다.

마법에는 근력이나 성별에 따른 우열 같은 게 존재하지 않는다는 것을 처음부터 염두에 두지도 않았다.

로렌스의 조언을 따라 여자들을 노린 마인들은 대부분 저항할 틈도 없이 죽었지만, 그중 한 팀의 움직임은 로렌스의 눈길을 끌었다.

그들이 기습했을 때 신이 크게 동요하는 모습을 보였기 때문이다.

로렌스는 거기서 어떤 사실을 추측했다.

물론 그때 죽은 마인들에겐 조금도 아쉬움을 느끼지 못했다.

"**그 여자**는 어쩌면……."

공격력은 심상치 않았지만, 명백히 전투에 익숙하지 않아 보이던 여자.

잘하면 마인들이 첫 성과를 거두었을지도 모르는 상황에 나타난 신.

지금까지는 보이지 않았던 당황한 모습.

어쩌면 그 여자는…….

거기까지 생각한 로렌스는 제스트에게 보고할 만한 좋은 정보가 생겼다며 만족스럽게 웃고 모습을 감추었다.

한시라도 빨리 크루트 왕국에서 벗어나려고 온 힘을 다해 달리던 마인들은 다음 행동 방침을 정하기 위해서 로렌스에게 말을 걸었다.

"이봐! 이젠 어쩌면 좋지?!"

하지만 이미 떠난 로렌스의 대답은 없었다.

"이, 이봐! 대답해!"

"잠깐만, 그 녀석은?"

그제야 마인들은 로렌스가 사라진 것을 인식했다.

"그, 그 녀석은! 어디로 간 거야!"

"조금 전까지는 있었지?"

"설마……."

조금 전까지 같이 도망치던 로렌스가 사라진 것을 깨달은 마인들은 그의 행동을 이렇게 해석했다.

"그 자식…… 도망쳤구나!"

연이은 패전.

상상을 초월하는 신 일행의 힘을 보고 겁에 질려서 도망쳤다고 여겼다.

"이, 이 겁쟁이 자식!"

계속된 패배로 위축됐던 마인들은 이 기회를 놓칠세라 이 자리에 없는 로렌스를 욕하기 시작했다.

하지만 도중에 한 마인이 어떤 사실을 눈치챘다.

지금까지 마인들의 행동은 전부 로렌스의 조언을 듣고 정해졌다.

하지만 그 로렌스가 사라지고 말았다.

그 결과, 중대한 사태에 직면했다.

"……이봐. 그럼 앞으로 누가 지시를 내리지?"

크루트 왕국에서 충분히 멀리 떨어진 곳에서 멈춘 마인들은 저마다 얼굴을 마주 보았다.

서로에게 책임을 떠넘기려던 마인들은 결국 만장일치로 거점이 된 도시까지 달아나서 숨어있자는 결론을 냈다.

마인들의 얼굴은 슈투름에게 등을 돌린 것에 대한 후회와 신 일행 같은 강자가 존재한다는 사실에 대한 공포로 의기소침해져 있었다.

제3장

그래, 바다로 가자

보리밭을 성대하게 날려버리고 말았다…….

오그에게 진심으로 혼이 난 나는 크루트의 왕성에서 정직하게 실토했다.

마치 선생님에게 혼이 나는 걸 기다리는 학생이 된 것 같은 기분이었다.

뭐, 실제로 난 고등 마법학원의 학생이긴 하지만.

그런 고분고분한 마음가짐으로 기다렸지만, 오히려 크루트 국왕은 마인의 격퇴에 찬사를 내리며 피해가 보리밭 일부로 그쳐서 다행이라는 말을 꺼냈다.

솔직히 난 안도했지만, 오그는 그렇게 넘길 수 없었는지 마도구의 대여료를 대폭 삭감하고 보리의 대량 구입까지 약속했다.

완전히 무상으로 대여해주지 않는 건, 마인 토벌은 우리에게 맡긴 데다 공짜 지원까지 받으면 크루트 왕국이 정신적인 부담감을 느낄 수밖에 없기 때문이라고 한다.

크루트 국왕 본인도 제발 그것만은 참아달라며 사정할 정도였다.

"하아…… 다음 시즌의 보리 시세를 조정하려면 고생해야겠군……."

크루트 왕국의 왕성에서 나와 왕도 밖으로 가는 중에 오그가 그렇게 혼잣말을 중얼거렸다.

"……미안."

"강한 건 좋지만, 넌 힘을 쓰는 법에 대해 좀 더 생각해야해."

"……정말로 미안."

"뭐, 됐다. 앞으로 해야 할 일이 떠올라서 푸념을 좀 한 것뿐이니까. 보리의 물가 조정쯤이야 네가 앞으로 일으킬 문제에 비하면 귀여운 수준이지."

보리의 물가 조정이라면…… 시세를 조정한다는 뜻이겠지.

그보다 더 심한 일이라니…….

"그야 너…… 예를 들면 실수로 도시 하나를 날려버린다든가, 나라를 없애버린다든가, 세계를 멸망시킨다든가……."

"내가 무슨 파괴신이야?! 그런 짓은 안 해!"

""""어?""""

"응?"

설마 다들 의문형으로 대답할 줄은 몰랐다.

"저는 솔직히 그 정도의 손해로 끝난 게 다행이라고 생각했습니다만……."

"난 전하의 설명에 이상하게 납득이 갔어!"

"저, 저기요! 실수로 세계를 멸망시키진 말아 주세요!"

"내가 무슨 마왕이냐!"

토르도! 앨리스도! 올리비아도! 왜 내 평가가 마왕에 가까운 거냐고!

"마왕…… 왠지 괜찮네."

"마법사의 왕. 윌포드 군에게 잘 어울려."

"마왕 신 님이라……."

"그만해! 그것만은 제발 참아줘!"

이 세계에는 전생의 게임에 나오는 용사나 마왕 같은 개념은 존재하지 않았다.

마왕이라는 단어도 존재하지 않았고, 할아버지도 영웅이라고 불리긴 해도 용사라고 불리지는 않았다.

그래서 모두가 마왕이라는 말을 듣고 처음으로 연상한 건 마법사의 왕이라는 뜻이었나 보다.

실수로 나온 말 때문에 이러다간 내가 초대 마왕이 될 판이다. 그런 부끄러운 별명을 퍼트리게 가만히 둘까 보냐!

"흠, 신의 별명이 정해졌군."

"정하지 마! 제발!"

즉결하지 말라고!

"어째서? 좋잖아. 마법사의 왕이라『마왕』. 너한테 딱이네."

"맞아. 이보다 더 잘 어울리는 별명은 안 떠오르는걸."

"아니야! 뭔가 있을 거야! 잘 떠올려봐!"

포기하지 마! 마리아! 토니! 포기하면 거기서 끝이야!

"뭐, 신이 아무리 부정해봤자 별명이라는 건 자연스럽게 퍼지는 거니 금세 정착하겠지."

"망했다!"

거짓말이야! 그렇게 간단히 마왕이라는 별명을 받아들이다니!

왜 이 세계는 과거에 용사와 마왕이 없었던 거냐고!

있었으면 이런 별명이 붙지 않았을 텐데!

"그보다 얼른 게이트나 열어."

오그는 내 일생일대의 중대사를 가볍게 일축하며 게이트를 열라고 재촉했다.

이런 비극이 세상에 어디 있을까.

다들 집에 가야 하니 그 요구를 무시할 수도 없어서 평소처럼 경비병 대기소에 게이트를 열었다.

"오오! 다들 돌아오셨다!"

"어서 오세요! 다시 마인을 토벌하신 걸 축하드립니다!"

"아우구스트 전하 만세! 얼티밋 매지션즈 만세!"

대기소에 도착하자마자 병사들이 달려와서 만세삼창을 외쳤다.

"뭐야. 벌써 보고가 온 건가."

"예, 조금 전에 우리나라의 크루트 왕국 주재 대사로부터 연락이 왔었습니다. 얼티밋 매지션즈가 크루트 왕국에 출현한 마인들을 인명피해 없이 격퇴했다고 말입니다. 이미 시중에도 알렸습니다. 마침 아우구스트 전하의 왕태자 책봉을 축하하던 중이라 지금 온 왕도가 아주 난리가 났지요."

"그렇군. 거리로 나가지 않는 편이 좋겠어."

오그는 거리로 나가지 말자는 말을 꺼냈다.

아니, 그보다 혹시 가볼 생각이었어? 원래는 오그가 왕태자가 된 것을 축하하는 축제니까 본인이 나타나면 큰 소란이 벌어질 게 당연한데.

요즘 나와 같이 다니느라 오그의 현실 감각이 약간 이상해진 게 아닐까 하는 생각이 들었다.

"당연하지요! 이런 상황에서 거리로 나가셨다간 무슨 일이 벌어질지…… 얼티밋 매지션즈 여러분도 아무쪼록 자중해주시길."

"어? 우리도?"

병사는 오그뿐만 아니라 우리도 외출을 자중해달라고 부탁했다.

앨리스가 의아해하자 병사는 이렇게 대답했다.

"사람의 입에 자물쇠를 채울 수는 없는 노릇이니까요. 이미 여러분의 이름과 신원도 전부 퍼졌습니다."

""""에엑?!""""

나와 오그뿐만 아니라 다른 일행까지?

개인 정보 보호는 어쩌고!

……뭐, 그런 개념이 있을 리가 없지만.

"그럼 저랑 에리 언니는 괜찮겠네요!"

"그럴 리가 있겠냐!"

웬일로 오그가 태클을 걸었다.

메이의 현실 감각도 이상해진 것 같다.

이건 내 탓 아니겠지?

아무튼 우리는 회의실에서 기다리는 디스 아저씨에게 이번 여행에서 있었던 일을 전부 보고했다.

디스 아저씨 쪽도 엘스와 이스에 연락을 하긴 했지만, 3국 회담이 실현되는 건 연휴가 끝난 다음이라고 한다.

이번에 우리가 방문한 소국들과 달리 대국 간의 회담이라 일정 조정에 여러모로 시간이 걸리나 보다.

디스 아저씨에게 보고를 마친 후에는 결국 오그의 방에 모이게 되었다.

"이런 큰 축제가 열렸는데 참가하지도 못한다니!"

방에 들어가자마자 앨리스가 큰 목소리로 불평했다.

"설마 우리 이름까지 알려질 줄은……."

마리아도 예상하지 못한 일이었는지 놀란 목소리로 중얼거렸다.

"전…… 그냥 일반인인데……."

"올리비아, 그만 포기해. 얼티밋 매지션즈에 소속된 데다, 아무렇지 않게 마인을 해치우는 일반인이 이 세상에 어디 있겠어."

“잘 생각해보면 굉장합다. 전원이 마인을 해치울 수 있는 집단이라니…….”

확실히 마크 말대로 비상식적인 집단이기는 했다.

하지만…….

“마인 토벌이라…….”

“신 군? 왜 그러세요?”

내가 혼잣말을 중얼거리자 시실리가 반응했다.

“아니…… 저번도 그렇고 이번도…… 마인이 너무 약한 것 같지 않아? 행동 방식도 왠지 납득이 가지 않고.”

내가 저번과 이번에 마인을 토벌하면서 느낀 건 『예전에 싸웠던 마인이 된 카트보다 약하다』는 것이었다.

“그땐 마인이 된 카트의 마법을 막는 것만 해도 제법 고생했었어. 약간 대미지를 입기도 했고.”

손에 화상을 입기도 했다.

“그때에 비하면…… 이번 마인들의 마법은 마력 장벽으로 간단히 막을 수 있는 수준이었어. 공격도 단조로웠고. 대체 왜지?”

“하지만…… 저는…….”

아, 이번에 시실리는 하마터면 위험할 뻔했지.

풀이 죽은 그녀를 위로해줘야겠다!

“시실리는 치유 마법이 특기니까 어쩔 수 없어. 전투 경험도 별로 없잖아?”

"예……."

"그럼 앞으로 익숙해지면 돼. 그보다 그렇게 전투 경험이 거의 없는 너조차 마인을 해치우는 것 자체는 그리 어렵지 않았지?"

"아, 그러고 보니 그 말대로네요."

후우, 간신히 화제를 돌렸다.

시실리는 자신도 마인을 토벌할 수 있었다는 것을 의아하게 여겼다.

"치유 마법을 더 잘 쓰고 전투 경험이 적은 시실리도 토벌이 가능했어. 솔직히 내가 보기엔 이상할 정도로 약해."

마인을 가지고 이상할 정도로 약하다는 건 왠지 좀 이상하지만 말이다.

내가 그렇게 발언하자, 다들 생각에 잠겼다.

"흠…… 그렇게 말해도 마인이 된 카트와 실제로 싸웠던 건 신뿐이니까 말이지. 우리는 저번과 이번에 싸운 마인밖에 모르니 비교할 방법이 없다만…… 네가 그렇게까지 말한다면 사실이겠지."

오그의 말대로 지금 이 자리에서 비교와 대조를 할 수 있는 건 나뿐이었다.

"확실히 마인들의 행동 방식은 납득이 가지 않습니다. 마인의 힘을 과신해서 아무런 생각도 없이 정면으로 쳐들어왔다고 볼 수도 있겠지만…… 이게 과연 우리 군과 제국군을 농락한 슈투름이 이끄는 마인 부대가 맞을까요? 도저히 위화감을 떨쳐낼 수가 없더군요."

토르의 말은 지당했다.

첫 습격 때는 너무나도 단조로운 행동 패턴에 양동 작전을 의심했을 정도였다.

"이번에는 공격 패턴을 좀 바꿨더라. 설마 여자를 먼저 노릴 줄이야. 사람 아주 깔보기는!"

오오…… 마리아 양께서 화가 나셨다.

이번 전투에서는 여자인 자신이 약하리라 속단하고 표적으로 삼았다며 엄청 화를 냈었지. ……지금 돌이켜봐도 그땐 참 무시무시했었다.

하지만 공격 패턴을 바꿨다고는 해도 기껏해야 여자를 먼저 노리는 거라니…….

이건 전술이랄 수준이 아니잖아?

"우린 마법사야. 근력 같은 건 관계없잖아! 대체 무슨 생각을 한 걸까?"

"동감이에요. 어쩌면 마인들은 여자가 마법도 포함해서 전반적으로 약하다고 생각하는 걸까요?"

올리비아까지 따라서 화를 냈다.

솔직히 이것도 의문이었다.

확실히 남자와 여자는 근력에서 확연히 차이가 난다.

하지만 이건 신체 강화 마법으로 극복이 가능한 차이다.

하물며 마법사라면 성별에는 아무런 우열도 존재하지 않았다.

존재하는 건 노력의 여부 정도다.

마법은 노력하면 할수록 자신의 힘이 된다.

이건 마법이 일반적인 이 세계에서는 누구나 아는 상식이었다.

설마 마인들은 그런 상식조차 몰랐다는 뜻인가?

"그 전술도 위화감이 있단 말이지……. 카트 때도 그렇고 이번도 그렇고 마인이 얽히면 항상 어딘가 위화감이 남아."

마리아와 올리비아에게 영향을 받았는지 다른 여성진도 분개하기 시작했다.

시실리만 혼자서 쓴웃음을 지으며 그녀들의 반응을 지켜볼 뿐이었다.

위화감이 남는 전투 방식.

이게 정말로 그 슈투름의 전법인 걸까?

아, 그러고 보니.

"누구, 슈투름의 마력을 느낀 사람 없어?"

"전 못 느꼈어요."

"나도. 신이나 색적 마법이 특기인 클로드가 못 느꼈다면 이번에도 없었던 게 아닐까?"

"흐음……."

역시 슈투름은 그곳에 없었던 모양이다.

그렇다면 역시 그 녀석의 명령을 받고 온 침공 부대라고 보는 편이 타당하려나?

작전은 현장에 맡기겠다며 내버려 뒀는데, 지휘관이 의외로 무능했던 걸지도…….

"아! 진짜! 슈투름이 무슨 생각을 하는 건지 전혀 모르겠어!"

나는 이해할 수 없는 마인들의 행동에 짜증이 치밀어서 고함을 질렀다.

"너무 흥분하지 마. 냉정함을 잃으면 할 수 있는 일도 못하게 돼."

그러자 오그가 날 달랬다.

"슈투름의 목표가 뭔지는 모르겠지만, 지금 우리는 마인들의 움직임에 대응하는 수밖에 없어. 연합이 체결되면 비로소 이쪽도 공세에 나설 수 있겠지. 수수께끼의 해명은 그때까지 미뤄둬."

하긴 그럴 수밖에 없겠지. 옛 제국령과 인접한 소국에는 연락이 오면 즉시 갈 수 있도록 조치를 취했으니 당분간은 상황을 지켜보는 수밖에 없으리라.

애당초 이쪽에서 옛 제국령을 공격하기에는 인원이 부족했다.

이미 마물의 소굴이 됐다고 하니 어중간한 인원으로는 진군하는 것조차 불가능한 형편이다.

사실 솔직히 말하면 우리들만으로 강행 돌파하는 것도

가능하기는 했다.

마인들은 제국 전토를 정복했으니 거점이 될 만한 도시는 얼마든지 있다.

하지만 역시 가장 먼저 함락한 옛 제도가 거점일 것이다.

방비도 완벽하고 규모도 거대하니까.

이 옛 제도를 우리가 전력으로 함락시키기만 하면 된다.

하지만 이 방식으로는 전에 오그가 말한 대로 주변국들이 알스하이드의 독주체제를 언짢게 여길 가능성이 컸다.

게다가 만약 제도가 거점이 아니었다면?

우리가 제도로 쳐들어간 사이에 다른 나라를 침공하면 어찌하겠는가.

그렇다면 마인의 거점을 조사한 후에 쳐들어가면 되겠지만, 지금의 제도는 앞서 말했듯 마물의 소굴이 된 상태라 제대로 된 첩보 활동을 기대할 수 없었다.

결국 가장 좋은 방법은 각국과 연합을 체결하고 점진적으로 포위망을 좁혀나간 끝에 발견한 마인의 거점을 함락시키는 것이다.

이것밖에 좋은 방법이 떠오르지 않았다.

즉, 다수의 인원을 이용해서 압박하는 작전이다.

그만한 인원을 동원하기 위해서는 주변국들과 연합을 체결하는 게 필수였다.

오그가 당장은 마인의 행동에 대응하는 수밖에 없다고

말한 것도 바로 이것 때문이었다.

연합을 체결하기 전에 공세는 불가능.

어떻게든 엘스와 이스의 협력을 얻은 다음에 대군을 편성해서 단숨에 쳐들어가지 않으면 마인들을 놓칠 가능성도 있었다.

따라서 이제부터는 3대 대국을 비롯한 주변국들이 연합을 체결하는 걸 기다리는 수밖에 없는 상황이었다.

하지만 3국 회담은 연휴가 끝난 뒤에나 열린다고 한다.

우리로선 갑자기 할 일이 없어진 셈이다.

뭔가 따로 할 일이 없을까?

내가 그런 생각을 하고 있자, 마침 앨리스가 오그에게 앞으로의 일정을 물어보았다.

"전하, 이다음에 뭔가 행사 같은 건 없나요?"

"신과 클로드의 약혼 피로연과 내 입태자 의식도 끝났으니 이렇다 할 행사는 없겠지."

"그럼 다 같이 놀러가는 건 어떨까요!"

왜 그런 질문을 하는지 궁금했는데 느닷없이 놀러 가자는 말을 꺼냈다.

"연휴인데 합숙이다 훈련이다 실전이다 뭐다 해서 전혀 못 놀았잖아요! 모처럼 쉬는 날인데!"

"여행 다녀왔잖아."

"그건 전하와 신 군이 볼일을 보러 가는 김에 따라 간 거였잖아! 난 그냥 순수하게 놀고 싶다구!"
확실히 합숙 도중에 잠시 쉴 때도 있긴 했지만, 순수한 의미로 논 적은 없었다. 모처럼 여름 휴가철인데도 말이다.
"흠, 듣고 보니 휴일이라는 느낌으로 제대로 쉰 적은 없었군."
"가고 싶어! 가고 싶단 말야! 어디든 놀러 가고 싶어!"
"앨리스 언니가 어린애 같아요."
"윽! 진짜 어린애인 메이 공주님한테 어린애 같다는 소릴 듣다니……."
앨리스와 메이의 대화 덕분에 딱딱해진 분위기가 한결 부드러워졌다.
나도 덕분에 살짝 안도의 한숨을 내쉬었다. 그러자 율리우스가 갑자기 이런 제안을 꺼냈다.
"그렇다면 소인의 친가로 가는 건 어떻소이까."
"어! 그래도 돼?! 리텐하임 리조트에 가도 괜찮은 거야?!"
"물론이외다. 요즘은 마인의 연속 토벌 덕분에 온통 떠들썩하니 휴양지에 간다고 뭐라 할 사람은 없을 것 같구려."
그 말에 모두가 환호성을 터트렸다.
무사의 리조트가 그렇게까지 굉장한가?
"신은 잘 모르겠군. 리텐하임 리조트라면 귀족들조차 가고 싶어서 군침을 흘리는 휴양지다. 이렇게 말하는 우리 왕족들도 휴가철에는 리텐하임으로 갈 때가 많지."
"그랬구나. 전에 간단히 설명만 들었을 뿐이라 구체적으로 어떤 곳인지는 잘 몰랐어."

"바다도 산도 다 있어요! 즐거운 곳이에요!"

"아…… 난 산은 좀……."

"아, 신 군은 산에서 자랐죠?"

"산이라면 질릴 정도로 잘 알아. 요즘은 더우니까 캠핑하기에는 좀 미묘할 시기이기도 하고……."

아마 지금의 난 평생 산에서 살아도 문제없을 정도의 기술을 익히고 있지 않을까? 그러니 이제 와서 캠핑이래 봤자 즐거움을 느끼는 건 무리일 것 같다.

"그럼 바다로 가죠. 그럼 신 군도 즐길 수 있겠죠?"

"오, 제법이네. 시실리."

"뭐가?"

"바다라면 역시 수영복이잖아? 얘도 참, 신에게 수영복을 입은 모습을 보여줘서 뭘 어쩌려고 그러니?"

"아으! 그, 그런 생각으로 한 말 아니야! 그냥 신 군이 즐거워하면 좋을 것 같아서 한 말이라구!"

마리아가 바다로 가자는 말을 꺼낸 시실리를 실실 웃으면서 놀리기 시작했다.

시실리는 얼굴이 새빨개졌다.

그건 그렇고 시실리의 수영복 차림이라…….

"시실리, 고마워."

"신 군, 이해해준 건가요?"

"응……. 수영복, 기대할게."

"너무해요! 정말!"

시실리가 날 토닥토닥 때렸지만, 귀여우니 잠시 이대로 두자.

그건 그렇고 진지하게 마인 이야기를 하고 있었는데 어느새 리조트 이야기로 바뀌었다.

당장은 마인의 동향에 따라 대처하는 수밖에 없지만, 그렇다고 계속 긴장하고 있어봤자 쓸데없이 지치기만 할 뿐이다.

일단 대항책은 완성했고 3국 회담까지 딱히 할 일도 없으니 이번 기회에 푹 쉬는 것도 나쁘진 않으리라.

"그러고 보니 오그. 합숙 때는 보호자가 있었지만, 여행은? 오늘까지는 외국인 데다 잠행이라 그렇다 쳐도 국내는 어쩔 거야?"

"음……."

"……깜빡했지?"

이 녀석…… 자신이 왕족이라는 걸 완전히 잊고 있었구만.

"아우구스트 님…… 요즘 자신의 신분을 너무 잊고 계신 게 아닙니까?"

"신이 나빠."

"날 면죄부처럼 쓰지 마!"

그렇게 말하면 전부 해결될 거라고 생각하지 말라고!

결국 보호자를 어떻게 할지 정하기 전에 또 율리우스가 먼저 제안했다.

"다들 가족분들을 모셔 오시구려. 다행인지 불행인지 모르겠으나, 요즘 마인 소동으로 예약 취소가 많아서 빈집이 많소이다."

""""진짜!?""""

율리우스의 호탕한 발언에 다들 동시에 대답했다.

하긴 가족 동반이라면 보호자 문제도 해결되겠네.

하지만 이럴 때는 확실히 해둬야 할 문제가 있었다.

"이번에는 요금을 지불할게. 합숙이 아니라 순수하게 놀러 가는 거니까."

"딱히 신경 쓸 필요 없소이다만."

"그렇게 하면 아무래도 신경이 쓰여서 마음껏 놀 수 없잖아? 그리고 전에도 예약 취소가 많아서 요즘 힘들다며."

"그것도 그렇겠구려……."

"율리우스, 나도 신의 의견에 찬성이다. 이건 수행이나 훈련이 아니야. 그럼 상응하는 대가를 지불하는 게 당연하겠지."

"나도 괜찮아! 합숙 중에 마물을 사냥하면서 잔뜩 벌었으니까!"

"저도 괜찮습니다."

"저도요."

오그에 이어서 앨리스와 마크와 린도 찬성했다.

역시 공짜는 아무래도 마음에 걸리는 게 있어서 마음 놓고 즐길 수 없을 테니 말이다.

"하아…… 알겠소이다. 하지만 적어도 할인은 받아주시구려. 이것까지 거절하면 이번에는 제 마음이 편치 않소이다."

마침내 율리우스도 뜻을 굽혔지만, 할인만큼은 양보할 수 없다며 고집을 썼다.

"뭐, 그 정도가 타협점이겠지. 아, 시실리는 됐어. 내가 낼게."

"예? 아뇨, 괜찮아요."

"나도 내지."

"나도."

"클로드가의 사람들에게는 합숙 때 공짜로 신세로 졌으니까 이 정도는 내게 해줘!"

시실리는 합숙 기간에 영지의 저택을 제공해주었다.

그래서 난 이번 여행 요금을 대신 내주겠다는 말을 꺼냈다.

하지만 나만 그렇게 생각한 게 아니었는지 오그와 린과 앨리스까지 동참했다.

그렇게 해서 결국 시실리를 제외한 전원이 클로드가의 여행비용을 대신 지불하기로 했다.

"합숙할 장소를 제공해준 클로드가의 여러분을 감사의 의미로 리조트지에 초대하는 셈이 되려나?"

"그런, 아니에요. 저희는 영지의 집을 제공한 것뿐인데……."

"그럼 장래의 남편이 처가에 보내는 선물이라는 건 어때?"

"처가……."

오, 약간 태도가 누그러졌다.

"저희는 약혼 축하 선물이 되겠네요."

"그거 괜찮네. 아, 세실리아 씨랑 실비아 씨도 잊지 말고 불러. 안 그러면 삐지실 것 같으니까."

마리아, 로이스 씨를 잊었잖아…….

"……선물이라면 제가 고집을 부리는 게 더 실례겠네요. 알겠어요. 그럼 신세를 질게요."

내 입장에선 처가에 보내는 선물. 다른 멤버들은 약혼 축하 선물이라는 의미로 이번 제안을 받아들여 주었다.

"좋아. 그럼 일정을 정해보자. 이동은 어떻게 할까? 날아서?"

"이번에는 안 돼. 상당히 인원수가 많아질 테니 중간에 들를 도시의 경제 효과도 고려하면 마차로 다녀야겠지."

"아, 세실 씨한테 들었던 그거구나. 알았어."

"하지만 될 수 있으면 아바마마와 어마마마께선 게이트로 왕래하셨으면 좋겠군. 국왕을 만에 하나라도 있을지 모를 위험에 노출하고 싶지는 않아."

이 나라를 위해서일까, 아니면 부모를 걱정해서일까.

……아마 오그라면 이 나라를 위해서겠지.

오그가 디스 아저씨를 대하는 태도는 가끔 아저씨가 불쌍해질 정도로 냉정할 때가 있으니까.

왕족이라는 건 원래 이런 걸까?

디스 아저씨가 워낙 헐렁하다 보니 비교는 못 하겠다.

"알았어. 그럼 우린 언제 출발할까?"

"흠……."

그렇게 율리우스네 영지로 놀러 가기로 정한 우리는 이번에는 준비에 시간을 들여서 사흘 후에 출발하기로 했다.

"뭐? 리텐하임 리조트에 놀러 간다고?"

"허허, 그거 참 호사스럽겠구나."

여행 계획을 정한 후에는 걸어서 가면 소동이 벌어질 테니 내가 게이트로 멤버들을 일일이 집까지 바래다주었다.

시실리는 우리 집에 인사하고 가겠다고 해서 마리아와 같이 데리고 왔다.

그러자 마침 온천욕을 마치고 나온 듯한 할아버지와 할머니에게 조금 전에 정해진 계획을 알렸다.

"연휴인데도 제대로 놀지도 못했다는 말이 나왔는데 마침 율리우스가 할인해준대서 놀러 가기로 했어."

"하아~ 시대가 변하긴 변했구나. 마법학원의 학생이 리텐하임 리조트에서 휴양이라니……."

아니, 그건 지금도 마찬가지일걸?

이번에는 율리우스의 호의에 기댄 것뿐이다.

"아, 가족도 같이 와도 된대."

"넌 참 좋은 친구를 뒀구나!"

그 말도 꺼내자 할머니가 반색했다.

"그렇게 정했으면 얼른 준비해야겠군. 시실리, 마리아!"

"예."

"무슨 일이세요?"

"지금부터 수영복을 사러 가자꾸나! 따라 오렴!"

""아, 예!""

할머니는 씩씩거리며 시실리와 마리아를 데리고 나갔다.

"……할머니의 수영복 차림은 좀……."

"포기하려무나. 혹시 그 말을 듣기라도 한다면……."

우린 그 뒤에 벌어질 상황을 상상하고 몸을 부르르 떨었다.

그보다 시실리와 마리아가 밖을 돌아다녀도 괜찮을까?

……뭐, 할머니가 같이 갔으니 괜찮겠지.

결국 사흘간의 준비 기간은 대부분 쇼핑으로 보냈다.

참고로 여성진의 수영복은 비밀이라고 한다.

현지에 도착한 후를 기대하라나 뭐라나.

할머니의 수영복은 가능하면 평생 비밀로 간직해줬으면 좋겠는데…….

그리고 출발 당일. 아무래도 가족이 전부 모이기 어려운 집도 있어서 빠진 사람도 많았다.

뭐, 직장이 있으니 어쩔 수 없지만.

"잘 지냈나! 오랜만일세, 신 군."

"아, 오랜만이에요. 글렌 씨."

그런 가운데 한 남성이 나에게 말을 걸어왔다.

앨리스의 아버지인 글렌 코너 씨였다.

"설마 딸이 벌써 리텐하임 리조트에 데려가 줄 줄은 꿈에도 몰랐지 뭔가!"

글렌 씨는 머리를 긁적이면서 웃었다.

하긴 그렇겠지. 아직 학생 신분인 딸이 가족을 고급 휴양지에 데려가주겠다는 말을 꺼낼 줄 누가 상상이나 해봤겠는가.

하지만 앨리스는 이미 평범한 여학생이 아니었다.

"마물 사냥으로 꽤 벌었으니까요."

재해급도 말이지.

"그런 것 같더군. 나도 앞으로 열심히 일해서 딸의 수입에 지지 않도록 노력해야겠어!"

재해급까지 사냥했는데…… 과연 이길 수는 있을까?

아, 맞아.

"그러고 보니 글렌 씨, 저희 상회 쪽 제안을 받아주셔서 감사합니다."

"그게 무슨 말인가! 새로운 영웅이 만든, 새로운 상회의 중역이라면 엄청난 출세지! 톰 대표가 그 말을 처음 꺼냈을 때는 내 심장이 다 떨릴 지경이었다네!"

글렌 씨의 표정은 결의에 불타오르고 있었다.

진짜 믿음직스럽다.

"글렌, 너무 그렇게 자신을 몰아세울 것 없다."

"도, 도사님! 안녕하셨습니까!"

"그래, 자네도. 어깨에 너무 힘이 들어가면 하지 않아도 될 실패를 하게 되는 법이야."

"예…… 그건 그렇지요."

"그렇게 신경 쓰지 않아도 이 아이가 만든 마도구는 아무도 흉내 낼 수 없으니 알아서 잘 팔릴 게야."

"그건 그것대로 상인으로서는 좀 미묘한 기분이군요……."

할머니와 글렌 씨는 상회 일 때문에 몇 번 만나서 그런지 약간 친해진 느낌이었다. 다른 가족들은 좀처럼 다가가지 못하고 있지만…….

"안녕하세요, 신 군."

"안녕, 신 군! 오늘은 고맙네!"

할머니와 글렌 씨의 모습을 멍하니 지켜보고 있자, 시실리를 비롯한 클로드가의 사람들이 이쪽으로 다가왔다.

이번에는 모두 초대해서 그런지 인원수가 꽤 많았다.

"가족을 전부 리텐하임 리조트로 초대하다니, 멋진 제부인걸."

"동감이에요, 언니."

"후후, 얘들아. 시실리한테서 뺏으면 안 된다?"

"하으! 아, 안 돼요!"

클로드가의 장녀이자 푸른 장발의 글래머 미녀인 세실리아 씨와 차녀이자 아름다운 금발 벽안이 인상적인 슬렌더한 체형의 실비아 씨가 날 칭찬했다.

그 모습을 본 시실리의 어머니이자, 시실리보다 머리색이 진한 아일린 씨가 가벼운 농담을 던졌다.

하지만 그 농담을 진담으로 받아들인 시실리는 내 팔을 껴안고 필사적으로 항의했다.

시실리…… 넌 아일린 씨에게 놀림당한 거라고…….

"안 뺏어……."

"혹시 휴가 중에 내내 이런 광경을 봐야 하는 걸까요……."

세실리아 씨와 실비아 씨는 내 팔에 매달린 시실리를 보고 한숨을 내쉬었다.

어라? 둘 다 남친이 없는 건가? 이런 미인들인데도.

"세실리아 씨랑 실비아 씨는 마법사단 소속이시죠?"

"응. 그게 왜?"

"그럼 지크 형은 남친으로 어떠세요?"

같은 마법사단에 있으니 지크 형을 남친으로 추천해봤다.

"지크프리트 님이라……."

"멋진 데다 강하기까지 하니 스펙은 나무랄 데 없지만……."

하지만 두 사람은 바로 난처한 표정을 지었다.

"여자를 너무 밝혀서……."

"아니, 따지고 보면 단장님부터 그 모양이라…… 마법사단의 남성분은 경박한 분이 많아서요."

알스하이드 마법사단은 평소에 대체 뭘 하고 다니는 거야! 이런 미녀들에게 경박한 남자들만 모인 집단 취급을 받다니! 그리고 지크 형은 역시 그럴 줄 알았어!

그렇게 세실리아 씨와 실비아 씨와 대화를 나누는데…… 어라? 로이스 씨는?

"멀린 님…… 저희는 어떻게 해야 존재감이 살아날 수 있을까요?"

"그건 우리의 영원한 테마일세……."

약간 떨어진 곳에서 할아버지와 같이 한숨을 내쉬고 있었다.

……참 애처로운 광경이었다.

그런 눈물 나는 광경을 지켜보는 사이에 전부 모인 참가자들은 가족별로 다른 마차에 타고 리텐하임령으로 출발했다.

시실리는 가족과 함께 타고 가려 했지만, 어째선지 아일린 씨가 우리 마차를 타라고 해서 이쪽으로 왔다.

리텐하임령은 왕도에서 마차로 대략 이틀 정도 이동하면 도착한다고 한다.

회복용 마도구를 장비한 말들은 순조롭게 질주했다.

그건 그렇고 정비된 길이라 생각보다 진동이 심하지는 않지만…… 마차를 지탱하는 건 혹시 판스프링인가? 한 번 흔들리기 시작하면 좀처럼 떨림이 잦아들지 않는 게 문제였다.

나중에 사륜구동 서스펜션이나 한 번 만들어볼까?

"신…… 너, 또 이상한 생각을 하는 건 아니겠지?"

"……내 주위에는 마음을 읽는 사람이 너무 많은 것 같아."

오그도 그렇고 할머니도 그렇고 어떻게 내 생각을 아는 거지?

"넌 얼굴에 쉽게 드러나. 그보다, 역시 또 무슨 못된 짓을 꾸미는 거구나!"

"못된 짓은 무슨. 마차의 안정감을 좀 개선해볼까 한 것뿐인데."

엔진이 아니라 말이 견인하는 거라 디퍼렌셜 기어를 고려할 필요도 없으니 어떻게든 되지 않을까?

오늘은 참가하지 않았지만, 왕도로 돌아가면 빈 공방의 사장님과 상담을 해보자.

아, 내 상회를 세웠으니 먼저 로이스 씨와 글렌 씨에게 상담해보는 편이 좋을까?

그런 생각을 하는 사이에 역시 이번에도 등장했다.

"이런, 손님이 오셨네."

"중형이네요. 아, 대형도 있어요."

"그럼 이번에도 또……."

"제비뽑기인가요?"

"그 방법이 가장 불만이 적으니까."

나는 시실리와 그런 대화를 나누면서 정지한 마차에서 내렸다.

"허허, 대형 마물과 싸울 사람을 제비뽑기로 정한다라……."

"……시실리까지 신에게 악영향을 받은 건가……."

기막혀하는 할아버지와 할머니의 목소리가 들렸지만, 우리가 요즘 주로 상대하는 건 재해급 마물과 양산형 마인이다. 솔직히 이 정도는 상대도 되지 않을 테지만, 아무래도 오늘은 가족들이 보는 앞이라 그런지…….

"나! 내가 싸우고 싶어!"

"여긴 나한테 맡겨줬으면 좋겠는데."

"이번에도 내가 할래."

"제비뽑기! 월포드 군! 제비를 꺼내주세요!"

앨리스와 린과 토니는 여느 때와 다름없었지만, 오늘은 올리비아까지 싸우고 싶다며 의욕적으로 나섰다.

넌 일반인이라며?

그리고 마물은 처음에 확인했을 때보다 수가 늘어나 있었다. 게다가 이 반응은…….

"사람이 이렇게 많으니 마물들에겐 무척 먹음직했겠죠."

"그런 고로 이번에 제비뽑기는 없어. 다 같이 요격하자."

""""라져!""""

"나도 간다."

"전하! 기다려 주십시오!"

"왜지? 이 정도의 마물은 요깃거리도 안 되잖아?"

"그게 무슨 말씀입니까! 뒤에서…… 뒤에서 재해급 마물까지 접근하고 있지 않습니까!"

솔직히 우리의 여행에 호위 같은 건 필요 없지만, 왕족과 귀족의 여행에 호위를 데려가지 않겠다는 말 자체를 이해하지 못해서 기사와 마법사들도 동행했다.

뭐, 장식에 불과하지만.

그런 호위들도 눈치챈 모양이었다.

중형 마물 무리에 대형이 섞여 있는 데다 이제 곧 재해급까지 나타나리란 것을.

그건 그렇고 진짜 마물이 많이 늘어났네.

재해급 같은 건 좀처럼 보기 드문 케이스였는데 말이다.

호위들은 절망과 긴장이 뒤섞인 얼굴이었고 우리 팀의 가족들은 재해급이라는 말을 듣고 새파랗게 질려서 덜덜 떨고 있었다.

"세상에…… 재해급이 출몰하다니……."

"즐거운 리조트 여행이……."

세실리아 씨와 실비아 씨는 아직 재해급과 싸워본 경험이 없는지 반쯤 체념한 얼굴이었다.

"……나도 가겠다."

"그런, 여보……."

이쪽은 분명 토니의 부모님이다. 기사라고 들었는데 본인도 싸우겠다는 말을 꺼냈다.

"두 사람은 거기서 구경이나 해."

"뭐?! 그게 무슨 소리냐! 지금 부모에게 아들만 사지로 보내라는 거냐!"

"음~ 그다지 대수로울 것도 없는데."

"뭐, 뭐라고?"

"그냥 좀 보고 있어 봐."

그렇게 말한 토니는 바이브레이션 소드를 세워 들었다.

"애들아, 재해급…… 저건 사자인가? 저 녀석은 빠른 사람이 임자야. 가자!"

""""오오오!""""

일단 중형 마물들부터 해치우자! 각자 무영창으로 단숨에 마법을 퍼부었다.

중형 마물 집단에 마법이 명중하자 대지를 뒤흔드는 충격이 발생했다.

이걸로 중형과 대형 마물 일부는 처리했군.

아직 흙먼지가 개이지 않았지만, 색적 마법으로 마물의 위치는 파악했다.

나와 토니는 제트 부츠를 써서 사자를 향해 날아갔다.

"아! 그건 치사해!"

앨리스가 항의하는 목소리가 들리긴 했는데 빠른 사람이 임자라고 했잖아?

"좋았어! 잡았다!"

"아니! 내가 먼저야!"

나와 토니가 동시에 바이브레이션 소드를 휘두르려 한 순간.

"""으앗!"""

갑자기 뒤에서 날아오는 강력한 마법을 감지하고 급하게 피했다.

목표였던 마물 사자는 느닷없이 날아온 수많은 마법에 곤죽이 되었다.

나와 토니가 뒤를 돌아보자, 앨리스와 올리비아가 이쪽을 향해 손바닥을 내민 모습이 눈에 들어왔다.

"이봐! 위험하잖아!"

"빠른 사람이 임자라면서요?"

"너희 둘만 치사해! 나도 그거 갖고 싶어!"

올리비아도 참 뻔뻔해졌다.

그건 그렇고 앨리스, 너도 제트 부츠가 갖고 싶다고?

"주는 건 상관없는데 이건 검을 못 쓰면 그다지 의미가 없을걸?"

"으~ 그래도 내 마법이 먼저 명중했거든?!"

"무슨 말씀이세요. 저예요."

"나야!"

"저예요!"

"누가 먼저건 상관없잖아."

올리비아와 앨리스는 누가 쓴 마법이 먼저 명중했느냐로 말다툼을 벌이기 시작했다.

먼저 해치웠다고 상품이 나오는 것도 아닌데 따지기는.

다들 가족이 보고 있어서 그런지 평소보다 분발하는 것

같았다.

다른 멤버들이 토벌한 마물들도 지나치게 힘이 들어간 탓에 흔적조차 남지 않았다.

"뭐, 아무튼 다들 잘 봤으려나?"

"가족에게 싸우는 모습을 보여줄 기회는 거의 없으니까 말이지."

나는 토니와 마차가 있는 곳으로 돌아가서 각자 가족들과 합류했다.

다들 어안이 벙벙한 얼굴로 입을 떡 벌리고 있었다.

"이게…… 뭐지?"

"시실리가…… 시실리가 곰을 일격에 날려버렸어요……."

세실 씨와 아일린 씨가 넋을 잃고 중얼거렸다.

"앨리스가 사자를 해치웠어?"

글렌 씨도 믿기지 않는 표정으로 앨리스를 쳐다보았다.

"우리 딸이…… 조금 전까지 가게 일을 돕던 우리 딸이……."

이쪽은 올리비아의 어머니인가? 딸이랑 똑 닮았네.

"토니의 움직임이 보이지도 않았어……."

"마물 사자를 두려워하지도 않고 용감히 달려들다니……."

토니의 아버지도 제트 부츠로 이동한 토니의 움직임을 놓친 것에 경악했다.

토니의 어머니만 마물 사자에게 용감히 돌진하는 아들의 모습에 감격해서 울고 있었다.

과연 기사의 아내답다. 감동하는 포인트가 약간 상식을 벗어나 있었다.

"어때? 별것 아니지?"

"너희는…… 이렇게 강해졌던 거냐……."

"뭐, 마인을 상대로 싸우려면 이 정도쯤은 해야지."

"이 정도쯤이라니……."

토니가 대수롭지 않는 말투로 말하자 토니의 아버지는 어이가 없는 얼굴로 반문했다.

"어때! 아버지! 굉장하지!"

"너무 굉장해서 뭐라 해야 좋을지 모르겠구나……."

글렌 씨의 반응은 지극히 정상적이었다. 하긴 글렌 씨는 일반인이니까.

"언니? 왜 그러세요?"

이쪽은 마법사단 소속의 세실리아 씨와 실비아 씨.

"시실리…… 너, 치유 마법은 잘 쓰지만 공격 마법은 젬병이지 않았니?"

"맞아요. 멤버 중에서는 제가 가장 서투른 편이에요."

"이, 이게……?"

"예."

다들 가족들의 질문 세례를 받고 우쭐해진 분위기였다. 뭐랄까, 왠지 수업 참관 같았다.

"……다들, 미안하구나. 우리 손자가 귀한 자식들을 이렇게 바꿔 버려서……."

할머니. 그렇게 비장한 얼굴로 사과하지 마. ……내가 무슨 나쁜 짓이라도 한 것 같잖아.

"아, 아뇨! 당치도 않습니다! 오히려 저희 방탕한 자식을 이렇게 강하게 만들어주셔서 감사할 따름이지요!"

것 봐. 토니네 아버지는 고마워하시잖아.

"진심으로 그렇게 생각하나?"

"물론이지요! 도사님! 직접 이렇게 싸우는 모습을 보니 세계를 구원할 자들이라는 세간의 평판도 수긍이 갔습니다!"

글렌 씨가 그렇게 말하자 다른 가족들도 고개를 끄덕였다.

"자기 자식이 영웅의 길을 걷고 있다니…… 세상에 이보다 더 멋진 일이 어디 있겠어요!"

토니의 어머니가 모두의 심경을 대변했다.

가족들에게 우리의 실력을 알리는 겸 마물을 토벌한 후, 다시 출발하려던 차에 마침 근처에 있던 호위들이 눈에 들어왔다.

"얼티밋 매지션즈…… 이렇게 굉장한 집단이었다니……."

"까놓고 말해 우린 진짜 장식이었지만…… 저분들이 싸우시는 모습을 본 것만으로도 따라온 보람이 있었어."

"실력 차이가 너무 커서 질투할 생각조차 안 들어……."

"나…… 오늘부터 얼티밋 매지션즈의 팬이 될 거야."

"나도!"

"나도! 아니, 차라리 팬클럽을 만들자!"

""""찬성!""""

뭔가 이상한 조직을 결성하고 있었다.

◆

눈 앞에 펼쳐진 맑고 푸른 바다와 끝없이 이어진 하얀 모래사장.

한여름의 태양 빛을 반사하는 바다는 내 마음을 개방적으로 바꿔 주었다.

"바다다~!"

"무슨 당연한 소릴."

이틀간의 여정을 마친 우리는 리텐하임령에 도착했다.

건물들이 전체적으로 하얀색이라 그것만 봐도 휴양지라는 느낌이었다.

일본식 저택은 없었다.

우리는 먼저 영주의 저택으로 인사하러 가기로 했다.

아무튼 이 영지의 차기 당주인 율리우스의 초대를 받은 데다 왕태자인 오그까지 있으니 이 과정을 빼먹을 수는 없겠지.

저택에 도착한 우리를 맞이한 사람은 율리우스보다 키가 큰 데다 근육도 우락부락한 그의 아버지 마르코 폰 리텐하임 후작이었다.

“오오! 오랜만이옵니다, 아우구스트 전하. 평안하셨는지요.”

“그래, 오랜만이군. 리텐하임 후작. 이번에는 신세를 좀 져야겠다. 앞으로 바빠질 테니 그 전에 느긋하게 쉬어두고 싶군.”

“알겠사옵니다. 부디 마음껏 쉬시길 바랍니다.”

“음, 부탁하마.”

“현자님과 도사님도 아주 잘 오셨습니다. 두 분께서 저희 영지를 찾아주시다니, 알스하이드의 국민으로선 더할 나위 없는 영광이옵니다.”

후작이라는 고위 귀족에 해당하는 율리우스의 아버지가 할아버지와 할머니에게 당연한 듯 고개를 숙였다.

역시 이 두 사람은 굉장하구나.

“허허, 잘 부탁하네.”

“신세 좀 지겠네. 그건 그렇고 후작쯤 되는 인물이 우리 같은 평민에게 함부로 고개를 숙이지 말고.”

“하오나…… 사양하시지만 않았다면 두 분께선 이미 옛날에 귀족이 되셨을 테니…….”

“어? 그랬어?”

뭐야 그게? 난 금시초문인데?

“귀족이 돼봤자 성가신 일만 늘어날 뿐이라.”

“디세움이 몇 번이나 제안했지만 거절했단다.”

그러고 보니 전에 디스 아저씨와 세실 씨가 귀족, 아니. 영주는 알스하이드 왕국에서도 1, 2위를 다툴 정도로 격무에 시달린다고 말했었지.

하긴 숲에 은거해버린 할아버지와 할머니에겐 어울리는 자리가 아닐 것 같다.

"신 군도 느긋하게 쉬다 가시구려."

"아, 예. 감사합니다."

합숙에 가기 전에 인사하러 가서 만난 적이 있었던 후작님은 웃으면서 이렇게 말했다.

"자네는 율리우스에게 생긴 대등한 친구이니 부모로선 소중히 여기고 싶구려."

"아버지, 소자 부끄럽사옵니다만……."

율리우스의 말투는 아버지를 닮은 거였구나. 리텐하임가에선 대대로 이런 말투를 쓰는 걸까?

겉보기엔 미국 프로레슬러 같은 외모인데 말이지.

이 일족은 외모와 말투의 격차가 굉장했다.

리텐하임 후작에게 인사를 마친 우리는 이번 휴가 동안 묵을 곳으로 안내를 받았다.

한 가족당 별장을 하나씩 배정받았다. 덕분에 주위의 시선을 개의치 않고 느긋하게 즐길 수 있을 것 같았다.

무사의 리조트는 내 예상과 달리 일본적인 요소는 요만큼도 없었다…….

"이거 참 굉장하군."

"신…… 넌 진짜 좋은 친구를 뒀구나."

"저기…… 제가 이쪽에서 지내도 정말 괜찮을까요?"

시실리는 감동한 할아버지와 할머니 옆에서 난처한 표정을 짓고 있었다.

하긴 그럴 만도 했다.

다들 가족 단위로 움직이는데 자기만 우리 별장에 묵게 됐으니 말이다.

아일린 씨가 마차에 이어서 또 이쪽으로 보냈다는 모양이다.

"괜찮고말고. 넌 우리 손자며느리가 될 테니 지금부터 익숙해져서 손해 볼 건 없잖니."

"손자며느리……."

할머니의 말을 들은 시실리의 표정이 멍해졌다.

그러고 보니 시실리는 가끔 망상에 빠지는 버릇이 있었다.

"아, 침실은 따로 쓰렴. 그런 건 식을 올린 다음에 해."

"예? 아, 예……."

"그런 말 좀 하지 마. 할머니."

노골적으로 말하지 좀 마!

왠지 의식되잖아…….

"너도 밤중에 시실리 방에 몰래 숨어들지 말고."

"그러니까 말하지 말래도!"

"아으…… 아으……."

것 봐! 시실리가 새빨개졌잖아!

별장을 확인한 다음에는 바다로 가기로 했다.

난 꽁꽁 얼어붙은 시실리를 할머니에게 맡기고 냉큼 수영복으로 갈아입었다.

"다 갈아입었어!"

"먼저 가 있으렴! 뒤따라 갈 테니까!"

난 방에 있는 할머니의 대답을 듣고 할아버지와 둘이서 바다로 나갔다.

참고로 할아버지는 수영복이 아니라 반바지에 셔츠, 선글라스와 밀짚모자를 쓴 스타일이었다.

수염도 하얀색이니…… 머리카락만 없으면 완벽한 무○도사였다.

그리고 별장 지역 근처에 있는 해변에 도착한 내가 본 것은…… 아까 말했던 개방적인 광경이었다.

"신 오~빠~!"

이번 생에서 처음 보는 바다에 감동하고 있자, 메이가 내 이름을 부르면서 달려왔다.

"오, 메이도 왔구나."

"예! 어때요? 신 오빠."

노란색 프릴이 달린 귀여운 수영복을 입은 메이가 내 앞에서 빙글 회전했다.

"잘 어울려. 귀엽네."

"에헤헤, 칭찬받았어요!"

"메이! 수치심을 좀 가지세요!"

그렇게 말하면서 등장한 에리는 빨간 비키니 차림이었다.

"그런 꼴로 수치심이라는 말이 잘도 나오네!"

"너, 너무 빤히 쳐다보지 마세요……."

엄청나게 섹시한 수영복을 입은 에리가 수치심을 가지라는 말을 하는 바람에 나도 모르게 태클을 걸고 말았다.

그러자 그녀는 부끄러운 듯 팔로 몸을 감싸 안았다.

"아니, 좀 의외였어. 에리라면 좀 더 노출이 적은 수영복을 입을 줄 알았거든."

"으으…… 앨리스랑 다른 애들이 이게 좋다고 해서……."

역시 범인은 그 녀석들이었냐!

아니, 그보다 공작 영애 씨! 아무리 친구의 추천이라지만 진짜 이런 걸 입어도 문제없는 거야?!

"오그는 괜찮아?"

옆에 있는 오그의 반응이 신경 쓰여서 조용히 물어보았다.

"딱히 알몸도 아닌데 뭐, 어때. 그리고……."

"그리고?"

"솔직히 에리의 쇼핑에 끌려가지 않아서 안심했어. 그런데 불평을 어떻게 해."

오그도 작은 목소리로 대답했다.

자신이 쇼핑에 따라가지 않는 바람에 이런 수영복을 사고 말았으니 할 말이 없는 모양이다.

"무슨 말씀을 나누시는 거죠?"

"아니, 아무것도 아니야."

그건 그렇고…… 흉기라……. 전에 메이가 왜 그런 말을 했는지 납득이 갔다.

"오! 역시 잘 어울려! 에리!"

"우리 안목은 확실했어. 완벽해."

마침 섹시 수영복의 원흉인 앨리스와 린이 동시에 등장했다.

앨리스는 파란색과 하얀색의 투피스 수영복이었고 린은 검은 원피스 수영복이었다.

"……자기들은 무난한 걸 고른 주제에……."

"응? 그게 무슨 소리야?"

"유감. 우린 이게 가장 잘 어울려."

"응, 이런 어린이용 수영복이!"

본인들이 말해놓고 풀이 죽었다.

나도 이런 불쌍한 자폭은 태어나서 처음 봤다…….

"아, 애들아~."

이번에는 유리였다.

그녀는 검은 비키니를 입고 이쪽으로 달려왔다.

워낙 스타일이 좋다 보니 비키니를 입고 달리자…….

"유리이! 지금 과시하는 거야?!"

"유리도 뜯어버리자."

“하앙!”

꼬맹이들의 먹잇감이 되고 말았다.

그건 그렇고 굉장했다.

출렁출렁…….

“신, 인중 늘어났어.”

갑자기 마리아가 놀리는 바람에 깜짝 놀라서 고개를 돌렸다.

“오? 아, 그게 할머니랑 사러 간 수영복인가.”

“응. 귀엽지?”

마리아는 녹색 투피스 수영복에 파레오를 허리에 두르고 있었다.

본인 말대로 잘 어울렸다.

“좋네. 잘 어울려.”

“그 말을 남친한테 듣고 싶었는데…….”

진짜 이렇게 귀여운데 왜 남친이 안 생기는 걸까…….

“저, 저기요…….”

“응? 아, 시실리 왔……어……?”

생각에 잠긴 타이밍에 시실리의 목소리가 들렸다.

내가 우리 여성진 중에 가장 기대했던 건 역시 시실리의 수영복 차림이었다.

들뜬 마음으로 고개를 돌린 순간, 처음 만났을 때처럼 정수리에 벼락이 떨어졌다.

풍만한 가슴, 잘록한 허리, 아름다운 힙 라인.

여성다운 곡선을 잘 살려주는 하얀 비키니.

그런 섹시하고 귀여운 수영복을 입고 부끄러워하는 시실리를 본 나는 그대로 말문이 막혀 버렸다.

"신! 멍하니 있지 말고 뭐라고 말해 주렴!"

할머니가 등을 때린 덕분에 그제야 제정신으로 돌아왔다.

"저기…… 그게…… 어, 엄청 잘 어울려……. 귀여워……."

"아…… 고, 고마워요……. 신 군도…… 멋있어요."

"고, 고마워……."

"아뇨……."

늘 함께 있었던 시실리가 평소보다 귀엽고 아름답게 보여서 엄청나게 긴장했다.

뭐지 이 감정은? 왠지 엄청 부끄러워!

"신, 난 어떠니."

"응? 괜찮지 않아?"

하지만 할머니의 수영복을 보고 머리가 차갑게 식었다.

뭐, 도저히 칠순에 가까운 나이라는 생각이 안 드는 완벽한 몸매이긴 했다. 하지만 가족의 수영복 차림은 아무래도 좀…….

"역시 굉장하세요, 멜리다 님. 우리 할머니가 이런 걸 입었다고 상상하면……."

"우리 할머니였다면 가족이 총출동해서 말렸을 거야! 멜리다 님이 아니면 무리야!"

"하와와…… 멜리다 님, 굉장해요오~!"

다들 할머니의 수영복 차림을 절찬했다.

파란 원피스 수영복. 솔직히 몸만 보면 노인이 아니었다.

하지만…… 마리아와 앨리스도 말했잖아? 가족이었다면 전력으로 말렸을 거라고! 지금 내가 바로 그 심정이거든?! 물론 무서워서 말도 못 꺼내겠지만!

"아, 다들 오셨슴까."

"늦어서 죄송해요."

마지막으로 마크와 올리비아가 같이 왔다.

"이럴……수가……."

"이런 곳에 복병이……."

앨리스와 린의 시선 앞에 있는 올리비아는 하늘색 비키니를 입었는데…… 이건 예상하지 못했다.

"젠장! 입으면 말라 보이는 타입이었다니!"

"완전히 의표를 찔렸어. 엄청난 대미지야."

조금 전부터 앨리스와 린의 반응이 어째 이상했다.

가혹한 현실을 직시하고 망가진 건가?

참고로 남성진도 다 모였지만, 다들 비슷비슷한 트렁크스 차림인 데다 사내놈들의 수영복을 자세히 설명할 생각도 없으니 생략하겠다.

참고로 율리우스는 훈도시[#1]가 아니었다.

무사…….

#1 훈도시 일본의 전통적인 남성용 속옷.

“그런데 가족들은?”

“아, 저희끼리 놀라고 보내주셨습니다.”

“우리 집도!”

이건 토르와 앨리스.

다른 집들도 별장에서 쉬겠다는 모양이다.

우리 할아버지, 할머니와 달리 아직 서로 데면데면할 테니 어쩔 수 없겠지.

자, 아무튼 이걸로 전원이 모였다.

“그럼 이제 뭐 할까?”

“바다에 왔으면 수영이지!”

“신은 산에서 자랐는데 수영은 할 줄 알아?”

마리아가 태연하게 실례되는 발언을 했다.

“산에도 강이랑 호수가 있거든?”

그래서 평범하게 수영할 줄 알았다.

사실 놀려고 익힌 게 아니라 수렵을 위해서였지만.

“그럼…… 돌격~!”

“와~!”

앨리스와 메이가 가장 먼저 바다로 뛰어들었다.

“참 나…… 그럼 우리도 바다에 들어갈까. 신, 넌 어쩔 거지?”

“흠…… 시실리, 같이 갈래?”

“아, 예! 갈게요!”

그렇게 다 같이 바다로 들어가려 하는데 어째선지 린만 멀뚱히 서 있었다.

"린?"

"중대한 문제가 생각났어."

"중대한 문제?"

"난 수영 못 해."

"……."

어? 이제 와서?

"에리의 수영복을 열중해서 고르느라 깜빡했어."

"이거 참……."

요즘 이 두 사람은 같이 있으면 개구쟁이로 돌변하곤 했다.

하지만 혼자만 내버려 두는 건 불쌍하다.

"그럼 이걸 써봐."

"그게 뭐야?"

"튜브."

이공간에서 튜브를 꺼냈는데…… 어라? 다들 어리둥절한 얼굴이다. 설마 이 세계에는 튜브가 없는 건가? 바다에서 수영하는 문화는 있으면서?

"그건 어떻게 쓰는 거야?"

"아, 응. 린, 이 튜브에 몸을 넣을 거니까 만세 해 봐."

"이렇게?"

린이 만세를 하자, 고리 던지기의 요령으로 튜브를 던져

주었다.

"그 상태로 바다에 들어가 봐."

튜브를 장비한 린은 그대로 달려가더니 바다로 껑충 뛰어 들었다.

야, 수영도 못 하면서 무리하지 마.

"오, 오오, 떴어."

튜브의 부력으로 해수면에 뜬 린이 감동했다.

"저런 식으로 수영을 못하는 사람을 위한 도구인데……."

그렇게 말하면서 시선을 돌리자, 다들 경악하고 있었다.

"이, 이렇게 획기적일 수가……."

"지금까지 수영을 못 하는 사람은 수영을 배울 때까지 바다에 못 들어갔는데……."

"저거라면 조그만 어린애라도 바다에 들어갈 수 있겠습다."

아무래도 이 세계에는 정말로 튜브라는 개념이 존재하지 않았나 보다.

수영을 하는 문화가 있는데 왜 보조 도구가 발전하지 않은 걸까?

"저기…… 저도 빌려주실 수 있나요? 수영에는 약간 자신이 없는 편이라……."

에리가 부탁해서 튜브를 하나 더 꺼냈다.

이건 마물이 된 대형 개구리의 가죽으로 만든 거라 물에 젖지 않고 가볍기까지 했다.

강도가 약해서 방어구로는 쓸 수 없지만, 튜브 재료로는 무척 쓸 만했다.

"저기…… 신 군…… 저도……."

"미안, 시실리. 튜브는 두 개밖에 없어."

"아…… 그런가요……."

시실리도 수영에 서툰 걸까? 같이 바다로 가자고 했으니 전혀 못 하는 건 아니겠지만.

나는 조금 유감스러워하는 시실리를 위해 어떤 물건을 꺼냈다.

"그 대신 이런 게 있지."

"예? 와! 보트?"

그렇다. 튜브와 같은 소재로 만든 보트였다.

"시실리, 이리 와서 타 봐."

"예, 아앗…… 와! 기분 좋네요!"

파도로 넘실넘실 흔들리고 있으니 마치 직접 해수면 위에 떠 있는 것 같은 기분이리라.

"그럼 나도."

"앗! 꺄악!"

"아차! 괜찮아?"

"아, 예……. 괜찮아요."

내가 탔더니 보트가 크게 흔들려서 시실리가 앞으로 쓰러졌다.

지금은 수영복 차림이라 서로 피부를 맞댄 상태였다.

"신 군…… 따듯해요……."

"시실리도……."

서로의 거리가 무척 가깝게 느껴졌다.

"뜨아아아! 냉큼 꺼져버려! 이 바보 커플!"

"으앗!"

"꺄악!"

화가 난 마리아가 바람의 마법을 날렸다.

돌풍을 일으키는 마법이라 다친 곳은 없지만, 먼 곳까지 흘러오고 말았다.

"위험하잖아!"

물론 들리지 않겠지만, 해안가에 있는 마리아에게 일단 항의했다.

"꽤 멀리 왔네요."

"뭐, 이동은 마법으로 할 수 있으니까 전혀 문제없어."

"마법으로 이동? 바람의 마법인가요?"

"그것도 가능하지만, 이게 더 빨라."

난 그렇게 말하고 손을 바다에 넣어서 워터 제트를 일으켰다.

"와! 빨라요! 굉장해요!"

"그치?"

시실리의 찬사에 기분이 좋아진 나는 그대로 계속 워터

제트를 분사해서 수상 이동을 즐겼다.

덕분에 해안가가 더 멀어졌다.

"그런데 어떻게 이런 마법도 쓰실 수 있는 건가요?"

시실리는 산에서 자란 내가 보트를 고속으로 움직이는 편리한 마법을 쓸 수 있는 게 신기했는지 그렇게 질문했다.

"호수에서 낚시할 때 편리해서."

"물고기도 낚으셨던 거예요?"

"고기만 먹으면 질리잖아. 시실리도 해볼래?"

"약간 비린내가 뱄네."

"예."

그 후에 직접 만든 루어로 낚시를 시작했지만…….

월척이요! 라는 말이 절로 튀어나올 정도로 물고기가 끝내주게 잘 낚였다.

그렇게 물고기를 계속 만지다보니 손에 비린내가 배고 말았다.

"바다로 들어가서 냄새 좀 빼볼까?"

바닷물로 빠지기는 하려나?

내가 그렇게 제안하자 시실리의 표정이 불안해졌다.

"아…… 그게…… 전 사실 수영을 잘 못 해서…… 좀 잡아주실 수 없을까요?"

"응. 그럼…… 자, 이리 와."

"예!"

난 가벼운 기분으로 승낙했지만…… 생각이 짧았다.

지금은 서로 수영복 차림이라는 걸 잊고 있었다.

"시, 신 군! 제대로 안아주세요!"

"으, 응. 걱정하지 마……."

사실 뒤에서 안아주는 편이 낫겠지만, 발이 바닥에 닿지 않아서 약간 당황한 시실리가 정면으로 안겨들었다.

그렇게 되면 당연히…….

우오오오! 부, 부드러워!

가슴에서 느껴지는 시실리의 부드러운 감촉에 번뇌가 솟구쳤다.

하지만 섣부른 짓을 했다간 물에 빠질지도 모르니 그녀의 몸을 필사적으로 끌어안고 번뇌를 계속 떨쳐냈다.

잠시 후 보트 위로 올라갔지만, 시실리의 부드러운 감촉에 정신이 팔려서 냄새가 지워졌는지 미처 확인하지 못했다.

"후우, 하아…… 냄새가 좀 빠졌나요?"

"응? 아…… 빠지지…… 않았을까?"

"킁, 킁……. 괜찮은 것 같네요. 그럼 해변으로 돌아가죠."

"그, 그래."

시실리는 물에 빠지지 않으려고 필사적이어서 조금 전의 일을 기억하지 못했다.

아니, 무슨 일이 일어난 건지도 모르는 게 아닐까?

난 혼자 끙끙대면서 워터 제트를 분사해 보트를 해변으로 이동시켰다.

"아! 이제야 돌아왔구나! 저런 먼 데서 대체 뭘 한 거야!"

"설마 너희들…… 이런 야외에서……."

"아니거든! 낚시하다 왔어!"

시실리와 잠시 단둘이 있었다고 이런 반응이라니…….

이 녀석들, 혹시 날 무슨 발정 난 짐승이라고 생각하는 건가?

"낚시?"

"자!"

난 낚은 물고기를 보트 안에 꺼내고 루어에 대해 설명해 주었다.

"조금 전의 튜브도 그렇고 보트도 그렇고 잘도 이런 기상천외한 물건들이 줄줄이 튀어 나오는군……."

오그가 기막혀했지만, 원래 내가 고안한 발명품이 아니다 보니 기분이 조금 찝찝했다.

그래서 화제를 바꾸기로 했다.

"해변에서 놀 거면 이런 것도 있어."

내가 꺼낸 물건은 다름 아닌 비치볼이었다.

"린! 그쪽으로 갔어!"

"맡겨줘."

"하앗! 이거나 먹어라!"

비치볼을 꺼낸 나는 모두와 비치발리볼을 시작했다.

참고로 이건 튜브 재료로 쓴 개구리 가죽 위에 소가죽을 덮어서 만든 물건이었다.

이 세계에는 배구라는 경기종목이 없으니 규칙은 지극히 간단하게 설명했다.

원래 비치발리볼은 2대 2로 하는 경기지만, 다들 규칙에 익숙하지 않으니 이번에는 4 대 4로 붙어보기로 했다.

뭐, 내가 보기엔 사도(邪道)지만 이 녀석들 입장에선 이게 오리지널이 아닐까.

즉석에서 네트도 만들어서 시합을 개시했다.

참고로 마법 사용은 금지하지 않았다.

"자! 간다!"

앨리스는 기합을 내뱉는 동시에 신체 강화 마법을 써서 높이 점프했다.

"으랏!"

전생에서 본 배구에서는 상상조차 할 수 없는 고도에서의 점프 서브가 작렬.

"크윽!"

그러자 마법으로 신체를 강화한 올리비아가 그 날카로운 서브를 리시브했다.

"잘했어요! 올리비아 씨!"

이번에는 토니가 마찬가지로 신체를 강화하면서 점프.

"훗!"

그리고 스파이크를 날리는 순간, 바람의 마법을 공에 실었다.

"치잇!"

오그도 바람의 마법으로 쿠션을 만들어서 토니의 스파이크를 막았다.

"앨리스!"

"맡겨줘!"

오그가 리시브한 공을 마리아가 토스. 그리고 앨리스가 공에 화속성 마법을 담아서 강하게 내리쳤다.

"아앙!"

유리가 수속성 마법으로 리시브하려 했지만, 코스가 좋았는지 제대로 막지 못하고 튕겨 날아갔다.

"좋았어!"

"나이스, 앨리스."

"자! 계속 몰아붙이자!"

"훗, 꽤 뜨거워졌는데."

앨리스, 린, 마리아, 오그는 득점에 성공하자 기뻐했다.

"젠장! 이번에는 점수를 내자!"

"예. 이제 우리 차례네요."

"아앙! 진짜 분해~!"

"유리 양, 다음에는 막을 수 있을 거예요!"

점수를 내준 토니, 토르, 유리, 올리비아는 속상해했다.

"하아…… 다들 굉장하네요."

그 모습을 옆에서 지켜보던 시실리가 감탄했다.

"그렇구려. 마법을 이런 식으로 응용할 수 있을 줄은 상상도 못 했소이다."

"과연 월포드 군입다. 이런 발상을 떠올리다니!"

"아니…… 이건 완전히 우연이었거든?"

4 대 4 대전이라 경기에 끼지 못하고 빠진 율리우스와 마크가 뭔가 큰 오해를 했다.

아니, 확실히 마법을 해금하기는 했다.

하지만 이럴 때는 보통 신체 강화 마법을 떠올리잖아?

왜 서브와 스파이크에 마법을 싣는 건데?

그리고 그 불꽃 스파이크와 돌풍 스파이크에 마법으로 중화해서 리시브하는 건 또 뭐야!

먼저 즐겨보라고 일부러 빠져준 건데 엄청 즐거워 보이잖아!

"얘들아~ 얼른 교대해줘~. 우리도 하고 싶어~."

"시끄러! 아직 결판이 안 났잖아!"

이 놀이에 진지하게 임하는 마리아가 화를 냈다.

그렇게까지 화낼 건 없잖아.

그건 그렇고…….

"하아…… 다들 너무 열중하는 거 아닌가?"

“아뇨, 솔직히 저도 빨리하고 싶어서 몸살이 날 지경입니다. 이렇게 즐거운 놀이는 처음 경험해보는걸요.”

“그렇소이다. 소인도 어서 하고 싶어서 마음이 급해지는구려.”

토르와 율리우스는 이미 한 번 체험했다.

그때 완전히 푹 빠진 모양이다.

나도 규칙을 알려주면서 몇 번 시범을 보이는 김에 참가했지만, 다들 이제 알겠다면서 발안자인 날 제외해버렸다.

난 이미 이 놀이를 경험해봤을 테니 자신들에게 양보하고 밖에서 제대로 규칙을 지키고 있는지 확인해달라고 주장한 것이다.

아니, 그건 아니지! 그건 전생의 경험이었다고!

산에서 자라느라 친구도 없었던 내가 같이 놀 사람이 있었을 리가 없잖아!

아니, 이런 마법까지 도입한 엄청 재미있어 보이는 놀이는 나도 처음이라고!

속으로는 그렇게 생각해도 밝힐 수는 없는 사실이라 어쩔 수 없이 밖에서 다들 즐겁게 노는 모습을 지켜보았다.

그건 그렇고 다들 규칙을 익히는 게 빠르네.

조금 전부터 지적할 곳이 전혀 없어서 그냥 관전만 하는 중이다.

문득 옆으로 시선을 돌리자 빰이 빨개진 시실리가 시합을 구경하고 있었다.

역시 시실리도 하고 싶은 거겠지…….

하지만 그렇게 되면 나만 할 일이 없단 말씀이야.

다들 규칙은 잘 익힌 것 같고 당장은 날 끼워줄 생각도 없어 보이니 다른 사람들은 뭘 하나 잠깐 보러 가봐야겠다.

"시실리."

"예?"

하지만 아무 말도 없이 떠날 수는 없으니 시실리를 불렀다.

"다들 이제 잘해서 내가 봐줄 것도 없으니 잠깐 할아버지랑 할머니가 뭐 하는지 보고 올게."

"예? 아, 그럼 저도 갈게요!"

"괜찮아. 시실리도 해보고 싶지?"

"으, 저기, 그건……."

나와 약혼을 하거나 마인을 토벌하고 영웅 취급을 받게 되기도 했지만, 시실리는 아직 열다섯 살의 소녀에 불과하다. 친구들과 놀고 싶은 생각이 드는 건 당연했다.

그런 시실리를 억지로 휘두르는 건 오히려 내 마음이 편치 않다.

"괜찮다니까. 잠깐 보고 오는 것뿐이고 다시 여기로 올 때쯤이면 나도 껴주지 않을까?"

"하지만 왠지 신 군을 따돌리는 것 같은 기분이 들어서……."

그런 걱정을 했던 건가…… 그 마음씀씀이가 기뻤다.

"지금은 다들 난생처음 해보는 놀이에 푹 빠진 것뿐이니까 신경 안 써. 뭐, 방금 말했던 것처럼 내가 다시 올 때쯤이면 흥분도 어느 정도 가라앉겠지."

"그럼, 저기…… 빨리 돌아오셔야 해요?"

비치발리볼의 유혹을 도저히 뿌리칠 수 없었는지 시실리는 살짝 붉어진 얼굴로 나를 올려다보았다.

"그럼 다녀올게."

나는 그런 그녀의 머리를 쓰다듬어주면서 말했다.

"예. 다녀오세요."

그러자 시실리는 그렇게 대답해주었다.

지금 이 대화…… 왠지 좋다!

나는 살짝 부부 같은 대화에 실실 웃으면서 해변을 뒤로 했다.

내가 먼저 간 곳은 배가 정박해 있는 부둣가였다.

그다지 큰 편은 아닌 크루저만 한 크기의 배가 눈에 들어왔다.

그 부둣가를 따라 걸었더니 혼자 앉아서 낚싯줄을 드리우고 있는 사람이 보였다.

하마터면 있는 줄도 모를 뻔했다. 누구지?

"……할아버지……."

놀라서 자세히 살펴보니 마치 공기처럼 주위의 풍경과 동화한 우리 할아버지였다.

너무나도 자연스럽게 풍경에 녹아 있어서 한순간 사람인 줄도 몰랐다.

아니, 그보다 공기화가 심해진 거 아니야?

그 사실이 슬퍼서 할아버지를 똑바로 바라볼 수가 없었다.

"할아버지…… 흑……!"

나는 눈물을 머금고 부둣가를 뒤로했다.

다음으로 간 곳은 다른 해변이었다.

이 리텐하임 리조트의 해변은 여러 곳으로 나뉘어 있다.

고위 귀족이 방문할 때가 많다 보니 서로의 사생활을 배려해주기 위해서다.

그런 해변 중 한 곳에서 낯익은 사람들을 발견했다.

"아, 할머니. 세실리아 씨랑 실비아 씨도 계셨네요."

어째선지 우리 할머니가 시실리의 언니인 세실리아 씨와 실비아 씨와 함께 있었다.

"어라, 신. 다른 애들은 어쩌고 왜 너만 혼자 온 거니?"

어제도 본 파란 원피스 수영복을 입은 할머니가 당연한 질문을 했다.

"아, 다들 저기서 비치발리볼을 하고 있어."

"비치발리볼?"

"그게 뭐죠?"

세실리아 씨와 실비아 씨가 내 말을 듣고 궁금해했다.

"가운데에 그물을 치고 공을 치고받는 놀이인데…… 애들이 푹 빠져서 교대해줄 생각이 없어 보이길래 여러분은 뭐 하시나 보러 온 거예요."

"그렇게 푹 빠질 만큼 재밌는 놀이야?"

세실리아 씨가 살짝 관심을 보였다.

"마법 사용을 해금했거든요. 다들 규칙에 익숙해지자마자 마법을 펑펑 써대던데요."

"흐응, 왠지 재밌겠네요."

실비아 씨도 해보고 싶은 눈치였다.

그러고 보니 둘 다 마법사단 소속이라고 했으니 마법을 써도 되는 놀이라고 하니 관심이 생긴 거겠지.

내가 그런 생각을 하는데 할머니가 말을 걸었다.

"신. 한가하면 이것 좀 발라주련."

그렇게 말하며 나에게 건넨 것은…… 선 오일이었다.

"어? 선 오일? 선크림이 아니라?"

"나한테 바다에 와서 피부를 태우지 않는다는 선택지는 없어. 됐으니까 얼른 바르기나 해."

그리고 할머니는 허리까지 수영복을 내렸다.

"도, 도사님! 너무 대담하세요!"

"뭐? 손자 상대로 부끄러워하는 할머니가 어딨어."

할머니는 그렇게 말하면서 모래사장 위에 깐 시트에 엎드렸다.

아니, 확실히 어릴 때부터 자주 목욕도 같이했고 애초에 할머니의 알몸에 흥분할 리도 없었다. 하지만 뭐랄까…….

"하아…… 할머니. 일단 같은 여성이라곤 해도 다른 집 사람들이 있잖아. 조심 좀 해."

할머니가 갑자기 상반신을 고스란히 드러내자 세실리아 씨와 실비아 씨는 동요를 감추지 못했다.

아니, 그보다 할머니의 누드를 대체 누가 좋아하겠어?

"잔소리는 됐으니까, 어서."

"예이, 예이……."

재촉을 받은 나는 선 오일을 바르기 시작했다.

하아…… 내 입장에선 어깨를 주물러주는 거나 다를 바 없었다.

그냥 귀찮기만 하다.

할머니가 아니라 시실리의 몸에 선 오일을 발라줬으면…….

그런 생각이 표정에 그대로 드러났는지 할머니의 등에 선 오일을 다 바르자, 세실리아 씨가 부탁을 했다.

"신 군, 잠깐 괜찮을까?"

"예? 왜요? 세실리아 씨."

"실은 우리도 아직 선 오일을 안 발랐거든."

"예?"

"신 군이 선 오일을 발라줄 때 도사님께서 엄청 기분 좋아하셨잖아?"

"응. 그러셨어."

실비아 씨도 동감했다.

어, 이건 혹시…….

"그러니…… 우리도 선 오일을 발라주지 않을래?"

설마 했던 제안이었다.

잠깐, 정말 괜찮은 거야? 이건 명백히 나만 득을 보는 전개잖아!

"어, 아, 그게……."

하지만 그다지 면식이 없는 처형들의 피부를 만지는 건 아무래도 조금 민망했다.

둘 다 시실리의 언니답게 미인인 데다 스타일까지 끝내줬다.

난 시실리에 대한 죄책감 때문에 제대로 대답을 하지 못하고 말을 머뭇거렸다.

"후훗, 걱정하지 마. 시실리한테는 비밀로 해줄게."

그랬더니 세실리아 씨가 마치 내 속마음을 읽은 것처럼 그런 말을 꺼내는 게 아닌가.

"그리고 이건 처형의 피부를 보호하기 위한 의료 행위잖아. 삿된 의도는 전혀 없는."

실비아 씨까지 원호 사격을 했다.

"그, 그런 거라면……."

그래! 이건 의료 행위다!

약혼자의 언니들을 발칙한 자외선 놈들의 마수에서 지키기 위한 숭고한 행위!

……그러고 보니 전에 태양광에 관한 이야기를 했을 때 다들 내가 무슨 말을 하는지 몰라 어리둥절한 얼굴을 했었는데 피부가 타는 걸 방지하는 크림은 있네.

혹시 그건가? 고기를 구울 때 기름칠 하면 더 먹음직스럽게 구워지는 발상?

내가 그런 쓸데없는 생각을 하는 사이에 처형들은 비키니 상의를 벗고 시트 위에 엎드렸다.

앗! 이런! 못 봤는데!

엄청나게 원통했다.

"신 군…… 부탁해……."

세실리아 씨가 재촉했다.

윽! 그런 포즈로 흘겨보면 도저히 거절할 수가 없잖아요!

"아, 예!"

"후후, 난 언니 다음에 해줘."

실비아 씨까지 섹시한 눈으로 부탁했다.

좋아! 이건 의료 행위다. 한 곳도 빠짐없이 구석구석 발라 드리자!

그렇게 결심하고 선 오일 용기를 든 순간.

"신 군…… 언니…… 지금 뭘 하시는 거죠?"

뒤에서 느껴지는 차가운 냉기와 서늘한 목소리를 듣고 그대로 굳어 버렸다.

돌아보지 않아도 누군지 알 수 있었다.

하지만 돌아보지 않을 수는 없었다.

"시, 시실리……? 왜 그래?"

내 시선 앞에는 막대한 마력을 내뿜으며 글자 그대로 주위를 얼리고 있는 무표정한 시실리가 서 있었다.

"……신 군을 혼자 내버려 둘 수 없어서 따라와 봤더니……."

난생처음 보는 시실리의 표정에 죄책감이 들었다.

대답은 그렇게 했어도 혼자 자리를 비우는 내가 걱정돼서 견딜 수가 없었던 거겠지.

그래서 자신도 노는 걸 단념하고 굳이 날 쫓아온 것이다.

하지만 그런 그녀가 목격한 건 약혼자인 내가 자신의 언니들에게 선 오일을 바르려 하는 청천벽력 같은 광경이었다.

이런 표정을 짓는 게 당연하다.

나는 사과하려고 시실리에게 다가갔다.

하지만 세실리아 씨와 실비아 씨는 시실리의 무시무시한 마력에 놀랐는지 나보다 먼저 헐레벌떡 일어났다.

"시실리! 이건 오해야!"

"마, 맞아! 신 군이 도사님께 선 오일을 능숙하게 발라주는 걸 보고 우리도 부탁해본 것뿐이라구!"

"아……."

두 사람은 필사적으로 변명했지만…… 조금 전까지 등에

선 오일을 바르려고 비키니 상의를 벗은 걸 까맣게 잊은 모양이었다.

그런 상태로 갑자기 일어났으니 당연히…….

"신 군! 보면 안 돼요!"

"우읍!"

세실리아 씨와 실비아 씨의 고함을 듣고 반사적으로 고개를 돌리려 한 내 머리를 시실리가 와락 끌어안았다.

"언니들도 참! 수영복이나 제대로 입으세요!"

""아.""

그제야 자신들의 상태를 눈치챈 두 사람이 동시에 얼빠진 소리를 냈다.

아니, 지금 그게 문제가 아니다.

시실리의 품에 머리를 안긴 상태. 요컨대, 지금 내 얼굴은 시실리의 어떤 부분에 맞닿아 있었다.

수영복밖에 입지 않은 그곳에…….

시실리는 당황하느라 눈치채지 못한 것 같았다.

그건 그렇고 한여름의 바닷가에서 노느라 땀도 많이 흘렸을 텐데 왜 이리 달콤한 향기가 나는 걸까.

내가 홀로 행복에 잠겨 있자 옆에서 상황을 지켜보고 있던 할머니가 태클을 걸었다.

"얘야, 시실리. 넌 대체 언제까지 그러고 있을 거니?"

"예? 그게 무슨 말……씀……."

그제야 상황을 파악한 모양이다.

내 얼굴이 자신의 양가슴에 파묻혀 있다는 사실을.

이렇게 말하는 나는 세실리아 씨와 실비아 씨가 아직도 가슴을 드러내고 있을지도 몰라서 함부로 뿌리칠 수도 없는 데다 입술까지 완전히 밀착한 상태라 목소리가 나오지 않는 상태였다.

절대로 시실리의 가슴이 너무 기분 좋아서 지적하지 않은 게 아니라!

뭐, 반쯤은……? 아니, 6, 7…… 8할 정도는…….

"아으! 미, 미안해요!"

시실리는 사과하면서 내 머리를 풀어 주었다.

"푸핫! 후우……."

아아, 행복한 감촉과 향기가…….

나는 시원스럽기도 하고 유감스럽기도 한 복잡한 기분으로 한숨을 내쉬었다.

하지만 시실리는 내가 숨이 막혀서 이런다고 오해했다.

"저, 정말 미안해요……."

또 사과했다.

아니, 그건 아니지.

"시실리, 사과하지 마."

"예? 하지만……."

"네가 오해할 만한 짓을 한 건 나야. 사과할 건 나지."

"오해……죠?"

시실리는 불안한 건지 내 얼굴을 조심스럽게 올려다보았다.

"당연하지. 내가 할머니한테 선 오일을 발라주는 걸 본 처형들이 잘 한다면서 본인들도 해달라고 부탁한 것뿐이었어."

"그런가요. 할머님께……."

시실리는 그렇게 말하면서 할머니 쪽을 힐끔 훔쳐보았다.

선글라스를 쓰고 덱 체어에 누워 있는 할머니는 내 수라장을 보는 게 즐거운지 히죽히죽 웃고 있었다.

뭐야 그 스타일은! 할머니가 무슨 여배우야?!

전력으로 태클을 걸고 싶었지만, 지금은 진지한 상황이니 일단 참았다.

그렇게 내가 충동을 다스리고 있자 시실리가 터무니없는 요구를 했다.

"저기, 그럼…… 저도 선 오일을 발라주세요……."

새빨간 얼굴로 머뭇거리는 시실리.

그야…….

"물론! 기꺼이!"

거절할 수 있을 리가 없잖아!

시실리는 바로 비치 파라솔 밑으로 가서 시트 위에 엎드렸다.

부끄러운지 아직 상의는 벗지 않았다.

그래도 수영복이다.

비키니다.

피부의 노출 면적이 굉장했다.

"그, 그럼…… 한다?"

"아, 예."

나는 손바닥으로 선 오일을 문질렀다.

그리고 사람의 피부 온도와 비슷해진 걸 확인하고 시실리의 등으로 손을 내밀었다.

"응……."

"가, 간지러워?"

"아뇨……. 으응…… 괜찮아요오……."

내가 등을 만지자 시실리는 한숨을 흘리며 허리를 비틀었다.

엄청 섹시하다…….

"시, 시실리……."

"응…… 아응……."

위험해! 이건 진짜 위험하다고!

"시, 시실리……."

"이런 데서 뭘 흥분하는 거야! 이 바보 손자가!"

그 순간, 할머니가 내 엉덩이를 있는 힘껏 걷어찼다.

"으갸!"

"꺄악!"

덕분에 난 얼굴부터 모래 위에 처 박혔고 깜짝 놀란 시실리가 비명을 질렀다.

"퉤퉤! 이게 무슨 짓이야! 할머니!"

입에 들어온 모래를 뱉으면서 항의했지만, 오히려 엄청 혼났다.

"그건 내가 할 말이다! 여긴 해변! 바깥! 공공장소! 가족의 눈! 생각 좀 하고 살아!"

"헉!"

"아으……."

시실리도 이제야 제정신을 차렸는지 새빨개진 얼굴로 고개를 푹 숙였다.

"너흰 이만 친구들한테 가렴. 주위에 친구들이 있으면 섣부른 짓은 못 하겠지."

"아…… 응. 그럼 갈게."

"저, 저기, 실례했습니다."

그러고 보니 여긴 시실리라면 껌뻑 죽는 처형들도 있었지…….

우리는 더 혼나기 전에 부랴부랴 도망쳤다.

"아."

"예?"

"그러고 보니……."

"선 오일……."

"아…… 전혀 안 발랐네요."

뭐, 나중에 바르면 되겠지.

설마 그렇게 금방 살이 타겠어?

"일단 애들이랑 합류하자."

"예!"

할머니와 처형들이 있는 해변을 뒤로한 우리는 손을 잡고 친구들이 있는 곳으로 돌아갔다.

◆

신과 시실리가 떠난 후, 해변에는 멜리다와 수영복을 고쳐 입은 세실리아와 실비아만 남았다.

"하아…… 쟤들, 벌써 저렇게 진도가 나간 거야?"

"저도 모르게 가슴이 두근거렸어요. 동생과 제부인데."

신과 시실리의 러브러브한 모습을 본 두 여성은 뺨을 붉혔다.

세실리아와 실비아는 얼마 전까지 시실리의 약혼에 결사 반대했었지만, 신을 인정한 요즘은 이 바보 커플의 화기애애한 모습을 따스한 눈으로 바라볼 수 있게 되었다.

하지만…….

"동생에게 여러모로 추월당할 것 같아……."

"맞아요. 저희가 언니인데……."

자신들보다 연애에서 한참 앞서가는 시실리가 부럽기도 했다.

"아, 그러고 보니."

"왜요? 언니."

"결국 선 오일은 못 발랐네."

"그러고 보니 그러네요."

"그럼 내가 대신 발라줄까?"

자매의 대화에 멜리다가 끼어들었다.

그녀는 손에 선 오일 용기를 들고 있었다.

"예? 도, 도사님께서요?"

"괜찮으시겠어요?"

"사양할 것 없단다. 손자며느리의 언니들이니 이젠 가족이잖니."

두 사람은 멜리다의 말에 감격해서 몸을 떨었다.

"그럼 부탁드릴게요!"

"저도요!"

그리고 바로 시트 위에 엎드렸다.

멜리다는 그런 그녀들의 등에 선 오일을 발라주었다.

""앗, 차가!""

"뭐야. 좀 참으렴."

하지만 곧 깜짝 놀라서 비명을 질렀다.

"이상하네? 신이 할 때는 차갑지 않았는데."

멜리다는 그렇게 말하면서 선 오일을 추가했다.

""꺄악!""

"에잇! 조용히 좀 해!"

여자 셋밖에 없는 해변에 세실리아와 실비아의 비명과 멜리다가 질책하는 목소리가 계속 울려 퍼졌다.

◆

할머니와 처형들 앞에서 큰 실수를 저지른 우리는 마침내 친구들이 노는 해변으로 돌아왔다.

그러자 마침 뜻밖의 인물이 코트 위에 있는 것이 눈에 들어왔다.

"에리 언니! 그쪽으로 갔어요!"

"무리무리무리!"

메이와 에리였다.

최근에 마법사가 된 메이라면 그렇다 쳐도 에리는 완벽한 자살행위잖아…….

대체 왜 참가한 거지?

난 두 사람 대신 빠진 마리아에게 사정을 물어보았다.

"메이 공주님이 다들 즐거워 보이니까 끼고 싶다고 해서……."

그래서 혼자만 참가하는 게 불안해진 메이가 에리까지 끌어들였다는 모양이다.

물론 에리는 마법이 빗발치는 이런 마경에는 절대로 들어가고 싶지 않다고 거부했지만, 메이가 억지로 질질 끌고 갔다고 한다.

공작 영애……. 요즘 왠지 불쌍하다…….

메이와 에리 외에는 메이의 오라버니이자 에리의 약혼자인 오그와 그의 심복인 토르가 같은 팀이었다.

상대는…….

"앨리스랑 린이야? ……괜찮으려나."

"아하하…… 조금 전부터 에리만 노리더라. 그래서 에리는 코트 안에서 계속 비명을 지르면서 도망 다니고 있어."

마리아는 쓴웃음을 지었다.

"그런데 절묘하게 힘을 조절하고 있네요. 에리 양이 아슬아슬하게 피할 수 있을 정도로만요."

"무슨 사냥이냐……."

시실리가 마침 눈치챈 사실을 언급했다.

……앨리스, 린. 그게 더 심술궂거든?

에리는 한동안 그렇게 도망 다녔지만, 코트 안은 비좁았다.

"앗! 위험해!"

"예? 꺄악!"

"우읍!"

게다가 코트 안에는 에리보다 훨씬 작은 메이도 있었다.

그렇게 정신없이 뛰어다녔으니 부딪치지 않는 게 더 이상하리라.

결국 메이와 충돌하고만 에리는 코트 위에 넘어졌다.

"정말이지! 너무해요! 앨리스! 린!"

버둥버둥!

"아하하! 미안!"

"도망 다니는 에리가 재밌어서."

"정말 못됐어요!"

탁탁!

울상이 된 에리는 해변에 엎드린 채 앨리스와 린에게 항의했다.

하지만 두 사람은 즐거운 얼굴이었다.

털썩…….

이젠 정말로 허물이 없어진 모습이다.

아니, 그보다…….

"어라? 메이는?"

조금 전에 에리와 충돌한 메이의 모습이 안 보였다.

"아! 에리! 메이를 깔아뭉갰어!"

"예? 아앗! 메이! 정신 차려요!"

넘어진 에리의 몸이 그대로 메이를 덮쳤던 모양이다.

조금 전부터 들린 소리는 메이가 탈출하려고 몸부림친 흔적이었나 보다.

에리의 흉기에 버금가는 가슴에 짓눌린 메이는…….

—범인은 에리 언…….

다잉 메시지를 남긴 채 기절했다.

"이상한 걸 남기지 마!"

에리는 공작 영애답지 않은 말투로 외치면서 메이가 남긴 다잉 메시지를 발로 지워버렸다.

"아, 다잉 메시지가."

증거은멸이군.

"아뇨, 안 돌아가셨는데요."

메이를 간호하던 시실리가 쓴웃음을 짓고 태클을 걸었다.

메이는 잠시 후 부활했다.

"역시 에니 언니의 가슴은 위험해요! 흉기에요!"

"위험해. 뜯어버릴까?"

"뜯지 마세요!"

요즘 들어서 익숙해진 패턴의 대화가 오갔다.

이런 식으로 우리는 다 같이 즐겁게 비치발리볼……이라기보다 매지컬 발리볼을 하면서 정신없이 놀았다.

드디어 차례가 돌아온 나도 참가했다.

다들 이런저런 시행착오를 겪어가면서 마법을 응용하느라 시간이 가는 것도 잊고 있었다.

어느덧 정신을 차리고 보니 해가 저물고 있었다.

"하아…… 지쳤다……. 슬슬 돌아갈까?"

"예……. 슬슬…… 저녁을…… 먹어야겠지요……."

토르가 숨을 헉헉거리며 대답했다. 다른 일행도 기진맥진한 상태였다.

이렇게 지칠 정도로 놀다니…… 미셸 아저씨와 훈련을 빙자한 학대를 당할 때도 이런 적은 없었는데 말이지.

그만큼 우리가 정신없이 놀았다는 뜻이리라.

"너흰 아직 애구나."

"허허, 기운이 넘쳐서 좋구만."

마침 할아버지와 할머니가 왔다.

목소리가 들린 쪽으로 시선을 돌리자…….

그곳에는 고작 하루 만에 피부가 구릿빛이 된 할아버지와 할머니가 서 있었다.

아니, 아무래도 너무 빠르지 않아?

할머니는 그렇다 쳐도 밀짚모자와 선글라스를 쓴 데다 셔츠 앞섬을 풀어헤친 할아버지는…….

왠지 엄청 불량스러워 보였다.

"할아버지…… 혹시 삐뚤어진 거야?"

"예끼! 원래 피부가 잘 타는 체질이거늘. 눈도 민감해서 여름 바다에서 선글라스는 필수지."

그랬던 건가.

깜짝 놀랐다. 진짜로 삐뚤어진 줄 알고 당황했다.

"자, 슬슬 저녁 먹을 시간이니까 이만 가자. 별장에 가서 샤워하고 오렴. 아, 꼭 찬물로 씻고."

"아, 맞다."

할머니의 충고를 듣기 전까지 까맣게 잊고 있었다.

아까 선 오일을 못 발라서 나중에 바르려고 했었는데.

이런 햇볕이 쨍쨍한 곳에서 선 오일도 바르지 않고 계속 해변에 나와 있었으니…….

"아야야야야야!"

이렇게 되는 게 당연했다. 쓰라려~!

"크응~!"

이어서 샤워를 한 시실리도 물이 닿자 피부가 쓰라린지 문 너머에서 비명이 새어 나왔다.

매지컬 발리볼에 열중하느라 선 오일을 바르는 걸 깜빡했으니…….

제대로 발라둘 걸 그랬다.

이건 가벼운 화상이니까 나중에 치료해야겠군.

아, 치유 마법을 쓰면 모처럼 태운 피부가 원래대로 돌아가려나?

도저히 못 참겠으면 그때 가서 치료하자.

우리는 샤워를 마치고 광장으로 나왔다.

저녁은 바비큐 형식이라 좋아하는 재료를 마음껏 구워 먹을 수 있다고 들었다.

이미 요리를 시작했는지 근처에서 식욕을 자극하는 좋은 냄새가 풍겼다.

"좋은 냄새가 나네."

"예. 기대돼요."

별장에서 같이 나온 시실리도 한껏 기대감을 드러냈다.

나도 슬슬 배가 고파져서 다들 언제 모이나 조바심이 났다.

"으~ 피부가 따끔따끔해."

그러자 가벼운 화상을 입은 피부가 옷에 쓸려서 아픈지 앨리스가 뒤뚱거리며 걸어왔다.

하지만 내가 신경 쓰인 건 다른 쪽이었다.

"그게 무슨 소리야? 앨리스. 『따끔따끔한』 게 아니라 『얼얼한』 거겠지."

"어? 신이야말로 무슨 소리야? 피부는 『따끔따끔한』 거잖아?"

"얼얼이거든?"

"따끔따끔이야!"

사소한 뉘앙스의 차이지만, 이상하게 신경이 쓰였다.

앨리스와 내 눈에서 불꽃이 튀었다.

"대체 뭘 하는 건지."

뒤따라 나온 할머니가 사소한 일로 말다툼을 벌이는 우리를 보고 한숨을 내쉬었다.

"참 나, 식사 전에 시답잖은 일로 싸우지 마."

"""예~."""

할머니가 중재했으니 그만하자.

……말을 안 들었다간 혼날 테니까.

그런 겁 없는 짓을 어떻게 해.

앨리스도 안색이 약간 파랗게 질려 있었다.

"앨리스, 일단 휴전하자."

"응. 다툼은 아무것도 낳지 않아."

"뭐, 내 말이 맞지만."

"따끔따끔이라니까!"

"너희들! 적당히 좀 해!"

결국 할머니의 불벼락이 떨어졌다.

시실리는 그런 우리를 보고 쿡쿡 웃었다.

음, 꼴사나운 모습을 보이고 말았다.

그런 바보 같은 짓을 하는 사이에 사람들이 광장에 모이기 시작했다.

특히 어른들은 불량스러운 모습으로 변모한 할아버지를 보고 소스라치게 놀랐다.

"혀, 현자님……. 대체 무슨 일이십니까?"

"고민이라도 있으신 건가요?"

"아무쪼록 저희에게 상담을!"

"아무것도 아니라니까!"

어른들은 할아버지가 뭔가 불만이 있어서 저런 모습이 된 줄 알고 걱정했다.

"과연 현자님. 저런 방법으로 주위의 시선을 끄실 줄이야……."

로이스 씨, 왠지 묘하게 감탄하신 것 같은데 저건 따라 하지 마세요.

어른들의 카운슬링이 시작하려는 순간, 마지막 가족이 등장했다.

"다들 즐거운 시간을 보내고 있나 보군."

실은 광장에 오기 전에 정기보고를 하러 왕성에 갔었다.

그때 경비병 대기소에서 기다리고 있던 디스 아저씨를 데려왔다.

"앗! 어마마마~!"

"어머, 메이. 얌전히 있었니?"

"예!"

그리고 한 사람이 더 있었다.

오그와 메이의 어머니인 왕비님이었다.

"어마마마, 꽤 늦으셨군요."

"얘가 쓸데없는 소릴! 모처럼 신 군의 게이트라는 편리한 마법이 있는데 일부러 위험한 마차 여행을 할 필요는 없잖니."

"진심은요?"

"마차 여행은 고달파서 싫어!"

엄청 친숙한 분위기의 왕비님이었다. 조금 전에 처음 만났을 때도…….

『이이를 디스 아저씨라고 부른다면서? 그럼 난 줄리아 아주머니라고 불러주렴!』

『주, 줄리아 아주머니……?』

『응. 앞으로 잘 부탁해!』

그렇게 말하면서 윙크까지 했다.

왕비님…… 줄리아 아주머니는 플래티넘 블론드를 땋아 올린 푸른 눈의 여성이었다.

오그와 메이를 낳은 사람이라는 생각이 들지 않을 정도로 무척 젊어 보였다.

그리고 왕성이 아니라 펑퍼짐한 사복을 입고 있는데도 확연히 알 수 있을 정도로 몸매도 좋았다.

서훈식 때도 봤지만, 그야말로 왕비님! 이라는 생각이 절로 드는 느낌의 여성이다.

그렇다고 해서 왕성에 틀어박힌 채 다도회만 열 줄 아는 타입의 왕비는 아니고, 복지에 특히 관심이 많아서 본인이 기획과 자금을 제공할 뿐만 아니라 직접 요양시설이나 고아원에 들러서 만남의 자리를 가질 때도 많은 친숙한 왕비님이라고 한다. 그래서 국민의 많은 지지를 얻고 있는 모양이었다.

알스하이드의 왕족은 이런 식으로 디스 아저씨를 비롯해 격식에 얽매이지 않는 타입의 사람이 많았다.

뭐, 그래서 국민에게 인기가 많은 거겠지만 말이다.

"오랜만에 뵙사옵니다. 폐하, 왕비 전하. 이번에도 저희 영지를 찾아주셔서 영광스러울 따름입니다."

"음, 그렇게 너무 딱딱하게 굴지 말게. 오늘은 우리도 편히 쉬러 온 거니까."

"예, 알겠사옵니다."

디스 아저씨는 율리우스의 아버지와 인사를 마치자마자 본색을 드러냈다.

"후우~. 이제 좀 느긋하게 쉬겠군."

응, 디스 아저씨는 조금 더 위엄을 보이는 편이 국왕님다울 것 같다.

"아, 맞아. 요리사님. 바다에서 물고기를 낚았는데 요리해 주실 수 없을까요?"

"알겠습니다. 그럼 여기에 주십시오."

나는 요리사가 가져온 통에 낮에 낚은 물고기를 쏟아부었다.

"우왓! 이렇게나 많이?"

통에 한가득 쌓이고도 넘쳤다. 역시 너무 많이 낚았나?

내가 물고기를 꺼내는 모습을 본 메이가 이쪽으로 다가왔다.

"어마마마! 어마마마!"

"응? 왜 그러니? 메이."

"이것 보세요! 제가 낚은 거예요!"

그렇게 말한 메이는 『자신의』 이공간에서 물고기를 꺼냈다.

"이, 이공간 수납 마법?!"

"어마마마?"

줄리아 아주머니는 눈을 크게 뜨고 놀랐다.

"아, 응! 미안하구나, 굉장해!"

"에헤헤헤."

"그보다, 메이. 네가 어떻게 이공간 수납 마법을……."

디스 아저씨도 신경이 쓰였는지 메이에게 물어보았다.

"신 오빠한테 배웠어요! 편리해요!"

"신 군……."

디스 아저씨가 날 게슴츠레한 눈으로 노려보았다.

"이공간 수납이 뭐 어때서. 편리한데."

"하아, 또 이런 식이군. 열 살 때 이공간 수납 마법을 쓰는 게 이상하다는 생각은 안 든 거냐?"

"난 다섯 살 때부터 썼는데?"

"너야 원래 이상했으니 상관없다만, 이대로 가면 메이는 천재 마법사라는 소리를 듣고 말 거다."

"은근슬쩍 심한 소리 하지 마! 뭐, 실제로 천재 아닐까?"

우리가 연습하는 걸 보기만 했는데도 마력을 제어하는 법을 익혔으니까 말이다.

"평범한 집이라면 그래도 별문제 없겠다만…… 이대로면 시집갈 곳이 없어질지도 몰라."

아, 그런 뜻이었나. 확실히 남편보다 강한 공주님은 혼처를 찾는데 애로사항이 많을 것 같다.

디스 아저씨가 메이의 장래를 걱정했지만, 본인은 딱히 개의치 않았다.
"시집 안 가도 돼요. 여러분이랑 같이 마물을 사냥할 거예요!"
"그, 그러니?"
메이가 결혼할 생각이 없다고 하자 디스 아저씨는 왠지 살짝 안도한 기색이었다.
그러고 보니 이 나라에서는 정략결혼이라는 말을 거의 들어본 적이 없었다.
"아우구스트 오라버니처럼 호랑이를 사냥할 거예요!"
"그, 그러니……."
메이는 천진난만한 얼굴로 호랑이를 잡겠다고 선언했다.
……내 지도 방침이 잘못된 걸까?
디스 아저씨도 같은 대답을 했지만, 이번에는 뺨을 실룩거렸다.
메이의 장래가 기대되면서도 불안을 느낀 순간, 할머니가 이쪽으로 왔다.
"오랜만이구나, 줄리아. 잘 지냈니?"
"어머! 멜리다 님! 오랜만이에요!"
줄리아 아주머니와 할머니도 옛날부터 아는 사이였나 보다.
그대로 둘이서 이야기꽃을 피웠다.
그리고 에리와 시실리를 불러서 앞으로 한 가정의 아내가 될 두 사람에게 이것저것 조언을 해주기 시작했다.

"참 나, 여자들은 기운이 넘치네."

"동감이다."

나와 오그는 여성진으로부터 일부러 거리를 뒀다.

"휴가가 끝난 후에는 바빠질 테니 그 전까진 좀 느긋하게 지내고 싶군."

"알스하이드, 엘스, 이스의 3국 회담인가."

마인들을 궁지에 몰아넣기 위한 연합.

실제로 마인 때문에 피해가 생긴 스이드는 물론이고 옛 제국령과 국경을 맞댄 소국들과는 이미 이야기가 끝났다.

하지만 실제로 마인을 궁지에 몰아넣기 위해서는 다른 대국인 엘스와 이스의 협력이 필요했다.

하지만 이 두 나라는 옛 제국령과 국경을 맞대지 않았다.

이 두 나라를 연합에 끌어들이지 못한다면 앞으로의 작전을 크게 수정할 수밖에 없으리라.

"꽤 규모가 큰 회담이 될 테니 어떻게든 우리가 주도권을 잡은 상태로 두 나라의 협력을 얻어내고 싶군."

"음……."

"왜 그래? 신."

"아니…… 왠지 좀 걸리는 게 있어서."

"음?"

3국 회담을 앞에 두고 기합을 넣는 오그에게 찬물을 끼얹는 것 같아서 왠지 미안했다.

실은 두 번째 마인 습격이 끝난 후에 알스하이드에서 신경 쓰이는 소문을 들었다. 난 잠시 망설이다가 고민을 털어놓았다.

"우린 마인을 상대로 연속으로 이겼잖아? 심지어 두 번째는 피해도 없이."

"그래, 네가 날려버린 보리밭을 제외하면."

"윽! 그, 그건 그렇고! 요즘 항간에서 도는 소문이 왠지 좀 신경 쓰이더라고."

"무슨 소문인데?"

요즘 왕도에서 도는 소문, 그것은…….

"『마인은 별 것 아니다.』라더라."

그렇다. 우리가 너무 압도적으로 이긴 탓에 그런 소문이 퍼지고 있었다.

"그게 사실이야?"

"응. 이번 여행을 준비하려고 거리로 나갔을 때 자주 들리더라."

알스하이드 국민 사이에서는 이미 그런 분위기가 만연한 것처럼 보였다.

"그건 중대한 문제로군……"

"이게 3국 회담에도 영향을 끼치지는 않을까? 그렇게 쉬운 상대라면 우리 힘은 필요 없다는 식으로."

"설마…… 그럴 리는…… 하지만……."

오그도 가능성이 전혀 없다고 보지는 않았는지 고민에 잠겼다.

"일단 기억해둬. 조금…… 아니, 꽤 중요한 문제니까."

"그래……. 알았다."

나는 이 풍조가 일반 국민뿐만 아니라 군대에까지 퍼지는 게 가장 두려웠다.

스이드 왕국의 병사들은 마인을 상대로 아무 힘도 쓰지 못했다.

그런 적들을 별 것 아니라고 착각했다간 앞으로 더 큰 피해가 발생할지도 모른다.

지금은 내 예상이 빗나가기를 바랄 수밖에 없었다.

일행은 다들 즐거워 보였지만, 우리는 좀처럼 굳어진 표정을 펼 수 없었다.

하지만 계속 이런 얼굴을 하고 있으면 다른 사람들이 불안해할 테니 애써 평정을 가장하며 저녁 식사에 참가했다.

그렇게 저녁 식사가 끝날 때쯤, 디스 아저씨가 갑자기 이런 말을 꺼냈다.

"오, 그러고 보니 깜빡했군. 얼티밋 매지션즈 제군, 자네들에게 할 말이 있네."

"응? 뭔데? 디스 아저씨."

"무슨 일이십니까, 아바마마."

디스 아저씨의 모두의 시선을 모으고 중대 발표를 했다.

"음, 그대들은 지금까지 마인들로부터 타국을 두 번이나 지켜냈지. 게다가 그때 상당히 많은 마인을 해치웠다고 들었다."

"그 말씀대로입니다."

"그래서 이건 오늘 결정된 일이다만, 그 공적이 너무나도 거대하니 새로운 훈장을 만들어서 수여할 예정이다."

아, 그러고 보니 그런 이야기도 있었지.

마인의 동향이 신경 쓰여서 나도 깜빡하고 있었다.

하지만 다른 멤버들은 훈장을 받는다는 말을 듣고 그대로 굳어 버렸다.

반대로 보호자들은 훈장이라는 말에 크게 흥분했다.

"저, 저희 딸이 훈장이요?!"

"굉장하군요!"

"정말로…… 훌륭해졌구나……. 마법학원에 가겠다는 말을 처음 꺼냈을 때는 이걸 어떻게 갱생시켜야 좋을지 고민했었는데……."

올리비아의 어머니는 놀라워했고 글렌 씨는 순수하게 기뻐했다.

그 중에 토니의 어머니만 다른 보호자들과 반응이 조금 달랐다.

갱생이라…… 혹시 육체 언어인가…….

"그러고 보니…… 완전히 잊고 있었군요."

"그럴 여유가 없었으니까!"

토르의 말대로 나도 깜빡했다.

마인, 마물 양, 마인.

전투가 워낙 쉽게 끝난 탓에 마인 토벌이 훈장을 받을 만한 무공이라는 사실을 까맣게 잊고 있었다.

"아바마마, 그건 언제쯤입니까?"

"흠, 이 열기가 식기 전이 좋을 테니 일주일 뒤가 좋겠군. 아, 맞아. 옷은 새로 맞출 필요 없다. 전투복을 입고 출석하도록. 팀으로서의 공적도 평가해야하니."

디스 아저씨의 발표를 들은 일행은 크게 흥분했다.

특히 보호자들이 더 기뻐 보였다.

이번에는 나 혼자가 아니라 다른 멤버들도 훈장을 받는다고 하니 할아버지와 할머니도 조용했다.

하지만…… 이럴 때 훈장을 받으면 마인을 경시하는 풍조가 더 심해지진 않을까?

오그도 같은 생각을 했는지 나와 한 번 시선을 교환한 후, 디스 아저씨에게 가까이 다가갔다.

"아바마마, 잠시 괜찮으시겠습니까?"

"부자지간이니까 좀 더 친근하게 대해주면 안 되겠니?"

"그건 다음 기회에. 지금은 그딴 것보다 더 중요한 이야기가 있습니다."

"그딴 거라니……."

디스 아저씨가 약간 섭섭해했지만, 지금은 그게 문제가 아니다.

오그는 이 자리에 있는 모두에게 들리지 않도록 작은 목소리로 조금 전에 나와 나눈 이야기를 전했다.

그러자 디스 아저씨는 잠시 생각에 잠겼다.

"그랬군……. 너무나도 압도적으로 이긴 탓에 그런 오해가 퍼진 건가……."

"마인은 결코 약하지 않습니다. 그 증거로 스이드 왕국은 저희가 도착하기 전까지 수세에 몰려 있었고 적지 않은 피해까지 당했습니다. 만약 이대로 마인이 약하다고 착각하고 섣불리 손을 댔다간……."

"호된 꼴을 당하겠군."

디스 아저씨는 진지한 얼굴로 고개를 끄덕였다.

왠지 오그와 디스 아저씨가 왕족다운 대화를 나누는 건 처음 본 것 같다.

그건 그렇고 디스 아저씨의 반응을 보아하니 아무래도 왕국의 수뇌부까지 그 소문이 퍼지진 않았나 보다.

하지만 평소에 거리로 나갈 일이 잦은 하급 병사들은 어떨까.

군에 그런 풍조가 만연한다면 마인이 나타났을 때 직접 토벌하자고 나서는 자가 나올지도 몰랐다.

그리고 이번 서훈식으로 그런 풍조가 더 심해질지도 몰랐다.

그렇게 되기 전에 나는 디스 아저씨가 경고를 해줬으면 했다.

“알았다. 군부에 전하마. 『이번 마인 토벌은 어디까지나 신 월포드라는 규격 외의 존재가 있었기 때문이니 마인이 약하다는 오해는 하지 말라』고.”

“개인적으로 좀 걸리는 부분이 있기는 한데…… 뭐, 대충 그런 식이면 되겠지.”

이걸로 정말 괜찮을까?

실제로 마인들과 싸운 스이드 왕국병은 마인의 강함을 실제로 경험했지만, 알스하이드 왕국병은 과연 어떨까.

슈투름이 제국군을 섬멸한 『뒤』의 현장은 봤다고 들었다.

하지만 실제로 마인들이 싸우는 모습을 본 것은 아니다.

아무쪼록 디스 아저씨의 경고로 위기감을 가져줬으면 좋겠는데…….

그리고 엘스와 이스의 반응도 신경 쓰였다.

마인이 약하다고 착각해서 우리의 힘은 필요 없다고 주장할지도 모른다.

그렇게 되면 난처해지는 건 알스하이드와 옛 제국령과 인접한 소국들이다.

어쩌면 주도권을 저쪽에 빼앗길 가능성도 있었다.

……이쪽은 능구렁이 왕자님이 열심히 해줄 수밖에 없으려나…….

참 나…… 겨우 마인을 쓰러트렸더니 다른 문제들이 줄줄이 튀어나오다니…… 정말 골치 아프구만.

"신 군, 왜 그러세요?"

식사를 마치고 별장에 돌아와서 거실 소파에 앉아 있자, 시실리가 홍차를 따르면서 그렇게 물었다.

"……응? 혹시 내 표정이 이상했어?"

"이상하다기보다…… 뭔가 걱정거리가 있는 듯한 얼굴이었어요."

시실리는 찻잔을 테이블 위에 두고 내 옆에 앉았다.

"걱정거리가 있으면 저에게도 말해주시면 안 될까요? 전 조금이라도 신 군의 힘이 되고 싶어요."

그리고 내 손을 살며시 잡아주었다.

"……그래, 나 혼자 끙끙대며 고민할 필요는 없겠지."

"신이 고민이라고? 왠지 듣는 게 무서운데……."

"아니, 지극히 정상적인 고민이거든?"

할머니가 경계하자, 나는 조금 전에 오그와 디스 아저씨와 나눈 대화 내용을 세 사람에게 밝혔다.

"그렇군……. 그런 일이 있었구나."

"그것참 어려운 문제로고."

그러자 할아버지와 할머니도 떨떠름한 표정을 지었다.

"혹시…… 저희가 쓸데없는 일을 한 걸까요?"

"바보 같은 소리. 그럴 리가 있겠니. 너희가 마인들을 해치우지 않았으면 지금쯤 나라가 몇 개쯤 사라졌을지도 몰라."

"그 말대로다. 그러니 쓸데없는 걱정은 하지 말거라."

시실리가 자책했지만, 절대로 그럴 리는 없었다.
할아버지와 할머니가 그녀를 달래주었다.
그리고 할머니는 한 가지 추측을 했다.
"잠시 쇼핑을 나갔을 때 여러 번 들었을 정도라면…… 이미 왕도에 널리 퍼졌다고 봐야겠구나."
잠시 외출한 것뿐인데도 그 정도였다.
아니, 그보다 할머니도 나갔으면서 왜 모르는 거지?
"그러고 보니 할머니는 못 들었어? 쇼핑하러 갔을 때."
"오랜만에 사는 수영복 생각으로 머리가 꽉 차서 들을 겨를이 없었지."
"……."
쓸데없는 정보를 들었다.
"3국 회담에 영향을 주지 않으면 좋으련만……."
"상대가 어떻게 나오느냐가 문제니 막상 그때가 오지 않으면 알 수 없겠지."
할아버지와 할머니도 역시 그 부분이 마음에 걸리는 듯했다.
마인은 이미 두 번이나 다른 나라를 습격했다. 침공할 의지가 있는 건 명백했다.
그러니 가능하다면 이쪽에서 먼저 공세를 취하고 싶었다.
그러기 위해서는 세계 동맹의 체결이 무슨 일이 있어도 필요했다. 하지만 대국이라곤 해도 알스하이드처럼 국민성이 느슨한 나라만 있는 건 아니었다.

특히 엘스는 상인들의 나라다. 자신들에게 이익이 없다고 여기면 동맹에 참가하지 않을지도 몰랐다.

……세계의 위기 앞에서 그럴리는 없다고 믿고 싶지만…….

"후……."

"일이 굉장히 커졌네요……."

고민을 털어놨지만, 별다른 해결책은 찾지 못했다. 결국 오그의 수완을 믿을 수밖에 없다는 똑같은 결론으로 막을 내렸다.

왜 이렇게 되는 걸까.

"또 오그를 의지할 수밖에 없나……."

"그렇게 혼자서 너무 짊어지려고 하지 마세요."

별장의 난간에서 같이 찬 바람을 쐬던 시실리가 그렇게 말했다.

"그게 무슨 뜻이야?"

"저마다 역할이 있잖아요. 할머님께서도 말씀하셨죠? 신 군의 마도구를 파는 건 오라버니와 글렌 씨의 일이니 굳이 신 군이 돈을 벌 궁리를 할 필요는 없다구요."

"아…… 적재적소 말이군."

"솔직히 저희 힘으로는 전에 본 슈투름을 상대로 이기진 못할 거예요. 그자와 싸울 수 있는 건 신 군뿐이에요. 그러니 신 군은 눈앞의 적을 쓰러트리는 데만 집중하고 다른 일은 그 방면에 유능한 사람에게 맡겨주세요."

시실리의 그 말을 듣고 갑자기 떠오르는 생각이 있었다.

"난…… 다른 사람을 의지하지 않았던 건가."

"다른 나라와의 교섭은 전하의 특기 분야잖아요. 오히려 전하는 신 군이 참견하면 화를 내시지 않을까요?"

"풋! 확실히 그럴지도. 자기 영역을 침범하지 말라면서 말이지."

시실리의 적확한 지적에 절로 웃음이 터졌다.

확실히 오그라면 그럴지도 모르겠다.

"아직 저희가 미덥지 않을지도 모르겠지만…… 다들 언젠가 신 군이 저희를 의지할 수 있도록 노력하고 있답니다."

"그랬어?"

……그런 식으로 생각했을 줄은 몰랐다.

"저도 언젠가 치유 마법 분야만큼은 절 의지해줬으면 해요."

"그래…… 그렇게 되면 좋겠네."

"예, 그러니까 앞으로도 많이 가르쳐주세요."

그렇게 웃는 시실리의 얼굴이 너무나도 눈부시게 보였다.

혼자서 전부 짊어지지 말라는 말이 너무나도 기뻤다.

"아……."

어느새 정신을 차리고 보니 나는 그녀를 껴안고 있었다.

"고마워……. 시실리."

"아뇨, 신 군의 부담감이 가벼워져서 다행이에요."

"내 마음을 치유해준 거네?"

"후후, 그러네요. 신 군의 마음을 치유해주는 건 제 역할이에요. 그 누구에게도 양보 못 해요."

"응……. 부탁할게."

"예, 맡겨만 주세요."

우리는 가까이에서 시선을 나누었다.

그리고…….

별장의 거실로 돌아가자 할머니가 이렇게 말했다.

"침실은 따로 써라."

"……봤구나."

"하으으……."

모처럼 좋은 분위기였는데 할머니가 찬물을 끼얹었다.

결국 이날은 서로 다른 방에서 잤다.

제4장 마왕 신, 탄생

첫날은 얼티밋 매지션즈의 멤버들과 놀았으니 다음 날은 처가에 합류했다.

다른 멤버들은 어지간히 비치발리볼이 즐거웠는지 가족들이 총출동해서 놀고 있는 것 같았다.

토너먼트를 개최한다든가 뭐라든가…….

그런 가운데 세실리아 씨와 실비아 씨는 나날이 급증하는 마물들을 토벌하느라 고생이 많았는지 쉬는 날까지 몸을 움직이고 싶지 않다며 덱 체어를 펼치고 편하게 누워 있었다.

"하아…… 돌아가고 싶지 않아……."

"저도요……."

참으로 바캉스다운 분위기였다.

"즐기고 계신 것 같아 다행이네요."

"리텐하임 리조트는 어지간해선 오기 어려운 곳이니까 만끽하지 않으면 나만 손해지."

"어? 귀족 영애인데도요?"

뜻밖의 발언이라 무심코 물어보고 말았다.

"확실히 저희 친가는 귀족이에요. 하지만 이미 독립했는걸요. 그러니 놀러 가려면 사비를 들일 수밖에 없답니다."

실비아 씨도 세실리아 씨와 비슷한 말을 했다.

귀족 가문 사람들도 고생이 많구나…….

"마법사단 소속의 마법사는 확실히 평범한 상회의 사원보다 연봉이 센 편이긴 해. 그래도 리텐하임 리조트에 놀러 가는 건 무리야."

"휴가 신청서를 냈을 때 동료들의 질투와 선망하는 시선이 아직도 기억에 선명한걸요."

실비아 씨는 그렇게 말하면서 몸을 부르르 떨었다.

말투는 정중하긴 한데…… 혹시 S였나?

"하아…… 돌아가고 싶지 않아~."

세실리아 씨는 큰 목소리로 조금 전과 똑같은 말을 했다.

"세실리아, 그게 무슨 소리니?"

"어, 어머니?!"

갑자기 검은 비키니 위에 파카를 걸친 아일린 씨가 나타나자, 세실리아 씨는 비지땀을 철철 흘리기 시작했다.

"지금 뭔가…… 웃어넘길 수 없는 말이 들린 것 같은데……."

"기, 기분 탓이에요! 어머니!"

"마, 마마마마맞아요!"

"그래?"

""예!""

처형들이 필사적으로 얼버무렸다.

이마에 밴 땀은 결코 더위 때문만은 아니리라.

"그럼 괜찮지만. 휴가라고 너무 풀어져서 직무를 소홀히 하는 건 용납 못 해."

""예! 알겠습니다!""

내 귀에는 예스 맴!이라고 들렸다.

"그런 점에서 신 군은 대단하네. 두 번째 서훈이라니."

"전 그렇게 대단한 일을 했다는 자각이 없지만요."

"그렇게 우쭐대지 않는 점도 훌륭해. 시실리는 정말로 멋진 사람의 아내가 돼서 행복하겠구나."

"아직 결혼한 건 아닌데요……."

"아, 그것 말인데. 그이랑 상담을 해봤단다. 이번 소동이 끝나면 바로 식을 올리렴."

""예!?""

방금 엄청난 말을 들었다. 졸업한 다음이 아니라?

"이 소동을 무사히 해결한 뒤를 상상해보렴. 신 군은 이 나라…… 아니, 이 세계의 영웅이 되겠지."

"지금도 마법사단에서는 신 군의 인기가 굉장해요."

어? 그래? 금시초문인데.

"규모가 다르잖니. 아무튼 그런 사람이 배우자라면 바로 식을 올려도 괜찮겠지. 앞으로 수입도 더 늘어날 테고."

"아, 그래서 시실리를 계속 저희 쪽으로 보내신 건가요?"

"그래. 멜리다 님과 상담해서 시실리가 월포드가의 분위기에 익숙해지도록 일부러 같은 별장을 쓰게 한 거란다."

할머니도 승낙했던 거였나.

할아버지는…… 그만두자. 슬픈 미래밖에 보이지 않아.

"하지만 마법학원은 어쩌고요? 아직 재학 중인데……."

"그대로 다니면 되지. 입학한 시점에서 법률상으로는 성인이니까 재학 중에 결혼하는 경우도 전혀 없는 건 아니고."

"그랬군요."

그러고 보니 그랬다. 아직도 어린애취급을 받을 때가 많고, 이 여행도 보호자 동반이라 잊고 있었다.

"애당초 재학 중에 결혼하지 않는 건 주로 경제적인 이유 때문이란다. 하지만 신 군은…… 왕국의 제식 장비 특허료와 통신기의 대여비와 이용료로 계좌의 금액이 어마어마하다며?"

"예, 뭐……."

과연 아일린 씨. 다 알고 있구나.

"어, 어마어마하다니……."

"대, 대체 얼마나 되길래……?"

처형들, 거기에 반응하지 마세요.

"그러니 결혼식을 올리지 않을 이유가 없지. 그렇게 알아두고 있으렴."

"예, 알겠습니다."

그건 그렇고 조금 전부터 시실리가 조용하다.

"……신 군과 결혼……."

어깨 넋이 나간 것 같았다.

"부자 영웅의 아내……."

"진짜 부럽다……."

처형들은 부러워했다.

시실리의 약혼을 결사반대했던 사람들인데 말이지.

그만큼 내가 인정받았다는 뜻일까?

"너희도 슬슬 남편감을 찾아오렴."

"그러고는 싶은데……."

"이런 우량주를 보고 나면 전부 시시하게 보여서……."

우량주라뇨.

"신 군 같은 우량주는 지극히 특수한 케이스야. 영웅의 손자인데 본인도 영웅. 그런데도 자만하는 구석도 없고 덤으로 마도구 제작에도 천재적인 재능이 있어서 본인이 세운 상회도 틀림없이 번창할 거라는 보증수표가 붙은…… 농담 같은 존재잖니."

이번에는 특수 케이스 취급을 받았다.

존재 자체가 농담 같다는 말까지 듣고 말았다.

"신 군과 그나마 대등한 사람은…… 아우구스트 전하 정도밖에 없지 않을까?"

"……그럴지도."

"하아, 그냥 현실을 직시해야겠네."

"그렇게 하렴."

처형들도 꼭 좋은 사람을 만났으면 좋겠다.

우리 사이를 질투하면 어떻게 반응해야 좋을지 모르겠으니까.

"그런데 신 군, 갑작스러운 이야기라 미안한데 혹시 결혼식을 올리고 싶은 교회가 있니? 역시 빨리 정해두는 편이 좋을 테니까."

"아, 실은 오그에게 부탁해서 정했어요."

"어머, 장하구나. 벌써 교회까지 정하다니. 그래서? 어디니?"

"알스하이드 대성당이요."

"……뭐?"

"오그한테 부탁했더니 오케이라던데요."

"""에에에에에에엑?!"""

처형들뿐만 아니라 장모님까지 절규했다.

"그, 그, 그게 정말이니?!"

"예, 날짜가 정해지면 알려달래요."

여행 준비 중에 시간이 나서 부탁했더니 예상했던 것보다 훨씬 간단히 허락을 받았다.

"알스하이드 대성당에서 결혼식……."

"진짜 부럽다……."

"이건 나도 부러운걸. 거긴 왕족만 결혼식을 올리는 곳이었는데……."

"그런가요? 오그랑 친해서 다행이네요."

왕족의 특권이 느껴졌다. 가끔은 이런 것도 나쁘지 않군.

"아마 그런 뜻이 아닐 텐데……."

"신 군, 알스하이드 대성당이라니……."

오, 이제야 시실리가 제정신으로 돌아왔다.

"담 대성당에서 결혼식을 봤을 때 약속했잖아? 그래서 오그에게 부탁해봤어. 먼저 알려주지 않아서 미안."

확정되지도 않았는데 미리 말했다가 실망시키고 싶지는 않았다. 허락을 받아서 다행이다.

그러자 시실리는 고개를 젓더니 내 품에 안겨들었다.

"사과하지 마세요. 정말로 실현시키다니…… 기뻐서 머리가 이상해질 것만 같은걸요."

"기뻐해 줘서 다행이네. 그럼 식장이 정해졌으니 우리의 결혼식을 위해서라도 힘내서 마인을 토벌하자."

"예!"

시실리는 꽃처럼 활짝 웃으면서 대답했다.

내 깜짝 선물은 성공이려나?

아일린 씨는 흐뭇한 눈으로, 처형들은 기쁨과 질투가 뒤섞인 복잡한 눈으로 우리를 바라보고 있었다.

그런데 세실 씨와 로이스 씨는?

"멜린 님, 이런 방법으로 주목을 모으다니 역시 굉장하십니다."

"그런데 이런 복장을 하면…… 멜리다 님께서 화내시거나 하지는 않습니까?"

"난 딱히 눈에 띄고 싶어서 이런 꼴을 한 게 아니네만……. 그리고 멜리다는 내가 여름 바닷가에 가면 새카맣게 타는 걸 잘 알고 있으니 딱히 반항하려는 의도가 있었던 것도 아니네……."

……대체 뭘 하는 건지.

"여보, 로이스…… 지금 대체 뭘 하고 있는 거죠?"

"어? 아니! 여보! 그게 아니라……."

"아, 그게, 맞아! 멀린 님께 멋진 가르침을 받고 있었습니다! 어머니!"

"모처럼 신 군이 멋진 소식을 가져다줬는데 어쩜 당신들은……."

앗, 아일린 씨의 어깨가 덜덜 떨렸다.

"장래의 사위와 매제가 왔는데 나 몰라라 하는 게 가당키는 해요?! 당장 거기서 정좌하세요!"

"어? 아니…… 여긴 뜨거운 모래 위……."

"정·좌·하·세·요!"

""예!""

아일린 씨가 장인어른과 형님에게 설교를 시작하는 바람에 시실리와 몰래 자리를 빠져나왔다.

할아버지는 내가 준 루어로 낚시나 하다 오겠다고 했다.

"하아…… 아일린 씨, 굉장한 박력이었어……."

"저도 옛날부터 아버지보다 어머니에게 혼나는 게 더 무서웠어요……."

"시실리도 혼날 때가 있었어?"

"그야 당연하죠. 잔잔한 목소리로 조용히 화내시는 어머니…… 지금 생각해도 오금이 다 저린걸요……."

시실리는 그렇게 말하며 내 팔을 끌어안았다.

진짜 살짝 떨고 있었다. ……대체 얼마나 무서웠길래?

"난 할머니한테 자주 혼이 나곤 했어."

"아…… 그건 왠지 상상이 가요."

"잠깐! 너무하지 않아?"

"후후후, 아하하, 미안해요!"

그리고 웃으면서 내 팔을 놓았다.

"거기 서!"

"꺄악!"

"이런 데서 또 뭘 하는 거야!"

마리아의 핀잔을 들었다.

시실리와 술래잡기를 하는 사이에 비치…… 아니, 매지컬 발리볼 대회장에 도착한 모양이었다.

"오…… 여전히 굉장한 광경이네……."

"그래? 전하의 뇌신격을 못 막겠어……."

"뇌신격이라니……."

시선을 돌리자 신체 강화 마법으로 높이 점프한 오그가

자신의 특기인 뇌속성 마법을 공에 실어서 내리쳤다.

번개를 두른 비치볼이 불규칙한 움직임을 보이다가 상대 쪽 코트에 푹 꽂혔다.

"린의 풍신격도 못 막겠고."

"풍신격이라니……."

이번에는 린이 풍속성 마법을 실은 스파이크를 날렸다.

바람의 힘으로 가속한 비치볼이 눈에 제대로 보이지도 않는 속도로 상대 쪽 코트에 푹 꽂혔다.

"어제는 기술명 같은 건 없었잖아."

"앨리스가…… 화염 마법을 담은 스파이크를 플레임 어택이라고 부르기 시작해서……."

"하앗! 받아라! 플레임 토네이도오오오오!"

그 말을 듣자마자 앨리스가 화속성과 풍속성의 합성 마법을 비치볼에 담아서 소용돌이를 그리는 스파이크를 날렸다.

"내가 막아주지! 워터 블록!"

그러자 토니가 수속성 마법을 팔에 둘러서 막아냈다.

"앗! 젠장!"

"저한테 맡기세요!"

이번에는 신체 강화 마법을 쓴 올리비아가 멀리서 달려와서 코트에 떨어질 뻔한 비치볼을 건져냈다.

"율리우스!"

"우오오오오오오오! 파워 봄!"

그리고 토니가 올린 토스를 율리우스가 신체 강화 마법을 전개해서 상대의 블록 사이로 꽂아 넣었다.

"제법이잖아. 율리우스."

"코트 위에서는 설령 전하라도 봐 드릴 수 없소이다."

"훗, 잘 말했다. 그럼 나도 온 힘을 다해 응해주지."

"후후, 각오해."

"이번에는 내 차례."

"가겠습다!"

……뭐야 저건?

"가족 대항전 아니었어?"

"이런 경기를 어떻게 따라 해. 우리 가족도 예전에 기권했어."

"기술명을 외치다니, 민망하진 않아?"

"그래? 익숙해지면 기분 좋던데?"

"……."

어째 마리아에게서 좋지 않은 징후가 보이는 것 같다.

"그런데 유리랑 마리아는 왜 나와 있는 거야?"

""4대 4니까 기다리는 중.""

……다들 너무 푹 빠졌잖아!

뭐…… 이런 식으로 새로운 경기를 창조하거나 멤버들의 가족과 친해지기도 하면서 짧은 휴가를 보람차게 보냈다.

◆

"으아~! 즐거웠어~!"

사흘 후, 리텐하임 리조트에서의 휴가가 끝났다.

나와 시실리는 결국 할머니의 감시 때문에 한방을 쓰진 못했다.

조금 유감스러웠지만, 사흘이나 같은 별장에서 지낸 덕분에 시실리도 우리 가족의 생활에 많이 익숙해진 것 같았다.

할머니는 처음부터 마음에 들어 했고 할아버지도 잊지 않고 잘 챙겨줘서 그런지 둘 다 시실리가 우리 집에 있는 게 당연한 것처럼 여기게 되었다.

이제부터는 또 마차를 타고 왕도로 돌아간 후에 서훈식을 치를 예정이다.

이걸로 멤버 전원이 유명인이 됐다.

슬슬 게이트 마법을 가르쳐볼까?

유명해지면 거리를 돌아다니는 것도 고생이다.

난 요즘 아예 변장을 하거나 광학미채 마법을 쓰곤 한다.
이렇게 하지 않으면 들켰을 때 큰 소동이 벌어지기 때문이다.

광학미채 마법은 위험해서 그다지 쓰고 싶지 않지만 말이지.

주위에는 내 모습이 보이지 않으니까 가끔 사람과 부딪칠 때가 있었다.

다들 광학 미채 마법의 개념은 이해하지 못한 것 같으니 할아버지도 쓸 수 있었던 게이트가 그나마 배우기 나을 것 같다.

지금까지의 전투와 매지컬 발리볼만 봐도 기반은 어느 정도 완성된 것 같으니까.

왕도에 도착해서 일행이 해산하기 전에 그 사실을 전하자 특히 린이 기뻐했다.

"드디어 그날이 왔어. 열심히 배울게."

흠! 하고 거칠게 콧김을 불며 의욕을 드러냈다.

그러고 보니 린은 처음부터 게이트 마법을 무척 배우고 싶어 했었지.

"어디서 할 거지?"

"가능하면 처음에는 이미지하는 법을 가르치고 싶어. 학교 연구실이면 충분하지 않을까?"

나는 오그의 질문에 일단 연구실에서 이론을 배우자고 제안했다.

지금은 연휴이긴 해도 연구회 활동은 가능했다.

학교도 개방되어 있으니 서훈식이 끝난 후에 다 같이 게이트 마법을 배우기로 했다.

◆

왕도에 도착하고 사흘 후, 여행의 피로가 가실 무렵 왕성에서 마중이 왔다.

이번에는 멤버 전원이 훈장을 받을 예정이라 할아버지와 할머니는 다른 가족들과 함께 참석하겠다고 했다.

"이제 곧이네요……."

"하아…… 긴장 때문에 죽겠어……."

"이번에는 다 같이 받는 건데 뭘. 저번에는 나 혼자였는걸?"

"용케도 이걸 혼자서 견뎠네……."

"신 군, 존경해요……."

시실리와 마리아를 우리 집에 데려와서 마차를 타고 이동했다.

예전의 그 승차감은 좋지만 안정감은 없는 마차였다.

저번에 나는 혼자서 이 고행을 극복했다.

그래선지 엄청나게 긴장한 시실리와 마리아보다 비교적 마음의 여유가 있었다.

딱딱하게 굳은 두 사람은 창밖을 볼 여유도 없어 보였다.

그리고 마침내 왕성에 도착하자, 다른 멤버들 태운 마차들도 도착했다.

"애애애애들아! 아아아아안녕!"

"너무 긴장했어, 앨리스."

"그야 당연하지! 서훈식이거든? 나랑 평생 인연이 없는 이벤트라고 생각했는데!"

"맞아요……. 여종업원에게 주는 훈장 같은 건 없는걸요……."

"슬슬 포기해."

다른 멤버들도 하나둘씩 마차에서 내렸다.

요즘 들어서 왕성에 올 기회가 많았다고는 해도 이번에는 본인들의 서훈식 때문에 온 거니까 긴장하지 말라는 게 더 무리겠지.

"자, 오늘은 서훈식이다만 행사가 끝난 다음이 더 문제겠지."

애초에 왕성에서 사는 오그는 우리가 대기실에 들어간 후에 방으로 들어왔다.

"끝난 다음?"

"별별 인간들이 다 몰려들 거다. 특히 솔로는 조심해. 조바심내다 이상한 남자에게 걸리지 말도록 주의하고."

"""아, 예!"""

"남자는 딱히 필요 없어."

……그러고 보니 그랬다.

특히 남친을 만들고 싶다는 말을 입에 달고 사는 여성진은 주의가 필요했다.

린은 여전했지만.

그보다 학교 쪽은 어떡하지?

우리 반에 사람이 몰려들려나?

마크와 올리비아는 괜찮을까?

"얼티밋 매지션즈 여러분, 시간이 다 됐습니다."

오그가 앞으로의 일을 주의하고 있자, 마침내 병사가 마중을 나왔다.

다들 긴장이 한계에 달했는지 딱딱하게 굳어 있었다.
올리비아는 안색이 약간 파랗게 변했을 정도였다.
하지만 이제 와서 허둥지둥해봐야 어쩔 수 없는 노릇이니 그대로 마중을 온 병사를 따라서 알현실로 이동했다.
알현실 문 앞에서 대기하자, 이런 목소리가 들렸다.
『알스하이드뿐만 아니라 각국을 구원한 영웅들! 얼티밋 매지션즈 도착!』
낭랑한 선언 후에 문이 열렸다.
저번과 똑같았다. 귀족들과 문관들과 무관들이 박수로 맞이해 주었다.
이 광경에 익숙한 오그를 제외한 전원이 분위기에 압도당했다.
"가자."
오그의 목소리로 제정신을 차린 일행이 걸음을 옮기기 시작했다.
오늘은 오그도 얼티밋 매지션즈의 일원으로 참석한 거라 옥좌 근처에는 메이와 줄리아 아주머니가 있었다.
『디세움 폰 알스하이드 폐하, 입장!』
디스 아저씨가 나오자 알현실에 있는 전원이 무릎을 꿇었다.
"오늘은 이 알스하이드가 배출한 영웅들을 칭송하는 자리를 갖게 된 것을 진심으로 기쁘게 생각하노라. 그리고 이번 공적은 과거에 전례가 없는 것이므로 따로 특별한 훈장을 마련했다.”

출석자들이 잠시 술렁거렸다.

“얼티밋 매지션즈. 그대들에게 『금룡(金龍) 특별 훈장』을 수여하겠노라.”

디스 아저씨가 그렇게 선언한 순간, 출석자들이 모두 탄성을 터트렸다.

금룡은 알스하이드 왕국의 국기에 그려진 이 나라의 상징이기 때문이다.

그런 금룡의 이름을 딴 훈장을 받는다는 건 알스하이드 국민으로선 그 무엇과도 바꿀 수 없는 명예이자 영광이 될 것이다.

난 이 나라에서 산 지 몇 달 밖에 안 돼서 실감이 잘 안 가지만 말이다.

참고로 용…… 드래곤은 가공의 생물이라 실제로는 존재하지 않았다.

마법이 있는 세계인데 드래곤이 없다니…… 한 번 보고 싶었는데…….

“그럼 한 명씩 훈장을 수여하겠다.”

그리고 이름을 불린 순서대로 디스 아저씨가 훈장을 수여했다.

다들 딱딱하게 굳어 있었고 앨리스는 손과 발이 동시에 튀어나올 정도였다.

그렇게 차례차례 멤버들의 이름이 불렸지만, 정작 오그의 이름은 끝에서 두 번째로 불렸다.

"훌륭해졌구나, 아우구스트. 이제는 안심하고 이 나라를 맡길 수 있겠어."

"그게 무슨 말씀이십니까. 아바마마라면 얼마든지 더 활약하실 수 있을 겁니다. 앞으로도 이 나라를 열심히 이끌어 주십시오."

"아우구스트……."

디스 아저씨가 감격했지만, 아마 오그는 디스 아저씨가 생각하는 뜻으로 한 말이 아닐걸?

본인은 옥좌에 앉으면 자유를 잃을 거라고 생각해서 사양했겠지.

그리고 어째선지 나는 가장 마지막에 호명되었다.

"몇 달 만에 두 번째 훈장을 받는 건 왕국 역사상 처음이다. 그만큼 훌륭한 공적이었노라."

"황공하옵니다."

국왕 모드인 디스 아저씨에게 맞춰서 나도 신하 모드로 대답했다.

그리고 가슴에 훈장을 달기…… 직전에 디스 아저씨가 별안간 이런 말을 꺼냈다.

"신 월포드는 이제 세계에서 당해낼 자가 없는 마법사의 왕이 되었다. 따라서 나는 『마왕』이라는 칭호를 하사하겠노

라. 모두 칭송하라! 마왕 신의 탄생을!”

…….

으아아아아아앗!
뭐야?! 대체 무슨 일이 일어난 거지? 어떻게 디스 아저씨가 그 이름을…….
아앗! 오그구나! 오그가 디스 아저씨에게 떠벌린 거였어!
내가 황급히 고개를 돌리자 고개를 숙이고 부들부들 떠는 오그의 모습이 눈에 들어왔다.
넌 또 왜 웃어!
어떻게…… 어떻게 이런 심한 짓을!
내가 오그에게 달려들려 하자…….
““““우오오오오오오오오오오!””””
출석자들이 엄청난 환호성을 터트렸다.
느닷없이 소리를 질러서 깜짝 놀랐잖아!
“마법사의 왕! 마왕 신!”
“그 젊은 나이에 호칭을 하사받다니!”
“마왕!” “마왕!” “마왕!”
저마다 마왕의 이름을 연호했다.
그만! 그 이름으로 부르지 마!
제발…….

◆

“어라? 명연출가 제스트 군이 아닙니까.”

신이 알스하이드 왕성에서 세계 최초로 공식 호칭을 하사받는 순간, 옛 제도에서는 슈투름이 제스트에게 말을 걸고 있었다.

“그런 말씀을 들으니 부끄러울 따름입니다. 역시 슈투름 님처럼 능숙하게 조종하지는 못하겠더군요.”

“아뇨, 전 무척 즐거웠습니다만? 이렇게 배를 잡고 웃은 건 참 오랜만이었습니다.”

슈투름이 제스트를 연출가라고 부른 건, 그가 이탈한 마인들을 부추겨서 스이드와 크루트를 침공시켰기 때문이다.

결과는 마인들의 대참패로 끝났다. 덕분에 슈투름은 그 광경을 더할 나위 없이 즐겁게 감상했다.

“그들을 부추겨서 대체 뭘 하려는 건가요?”

“지금은 아직 말씀드리기가…… 조금만 더 있으면 구체적으로 설명할 수 있을 것 같습니다.”

“그런가요. 그럼 기대해보겠습니다.”

슈투름은 즐거운 얼굴로 떠나갔다.

한편, 제스트는 슈투름의 뒷모습을 바라보면서 자신에게 접근하는 존재의 기척을 눈치챘다.

"보고 드립니다."

"흠."

배신한 마인들 사이에 잠복한 로렌스였다.

그는 두 번에 걸친 얼티밋 매지션즈와의 전투로 뭔가 돌파구를 발견한 눈치였다.

"신 월포드의 약점을 찾은 건가?"

"신 월포드 본인의 약점은…… 솔직히 못 찾겠습니다."

제스트는 로렌스의 대답에 고개를 갸웃거렸다.

"어라? 내 눈에는 뭔가를 발견한 것처럼 보인다만."

그러자 로렌스가 씨익 웃었다.

"본인의 약점은 못 찾았지만, 약점이 될 만한 건 발견했습니다."

"호오……."

로렌스의 보고를 들은 제스트는 다음 시나리오의 준비에 착수했다.

■작가 후기

인생은 무슨 일이 일어날지 모르는 법입니다.

지금의 제가 바로 그런 상태입니다.

과거의 제 목표는 프로그래머가 되는 것이었습니다. 예능계나 집필 활동 같은 건 전혀 관심도 없었습니다. 그런 세계에 제가 들어갈 수 있을 거란 생각을 해본 적도 없고요.

그랬던 제가 성우를 목표로 삼고, 나레이터가 되어서 예능계에 잠시나마 얼굴을 비추고, 이렇게 소설책을 출판하게 되어서 후기를 쓰게 될 줄은 상상도 해본 적이 없었습니다.

지금 이런 후기를 쓰는 이유는 이 4권을 집필하고 가필 수정하는 도중에 쿠마모토 지진이 일어났기 때문입니다.

매일 보도되는 쿠마모토의 모습을 가슴이 찢어질 듯한 심경으로 지켜보면서 저는 어떤 기억을 떠올렸습니다.

그것은 바로 과거에 일어난 한신 아와지 대지진이었습니다.

사실 전 그 지진의 피해자입니다.

지진이 일어났을 당시에 저는 하필이면 활단층의 바로 위에서 괴멸한 지역에 있었습니다.

지금 살아있는 건 그야말로 천운이 따른 결과였습니다.

그때 죽었어도 전혀 이상하지 않을 상황이었습니다.

아니, 지인들은 제가 죽었다고 생각했는지 이제 포기하라고 했다더군요.

당시에 제가 살았던 곳으로 지인과 남동생을 데려갔더니 저마다 대체 어떻게 살아남은 거냐고 의아해할 정도로 기적적인 생환이었습니다.

그리고 이 지진 때문에 제 인생 설계는 크게 어긋나고 말았고, 프로그래머가 되자는 목표는 포기하게 되었습니다.

솔직히 그때까지 목표로 삼았던 꿈을 잃은 탓에 대체 뭘 해야 좋을지 앞길이 막막했습니다.

그래서 여러모로 고민한 결과, 모처럼 기적적으로 살아남은 목숨이니 과감하게 평범하지 않은 특별한 목표에 도전해 보자는 생각에 도달했습니다.

이때부터였을 겁니다. 세간에서 말하는 평범한 인생에서 벗어난 것은.

하지만 실제로 특별한 일이라고 해도 구체적으로 뭘 할지는 정한 게 없었습니다. 뭔가 제가 잘 할 수 있는 일이 없을까 고민한 결과, 마침 예전에 누나의 친구에게서 목소리가 좋다는 칭찬을 받은 기억이 떠올랐습니다. 제 인생에서 유일하게 칭찬을 들은 개성이었고, 마침 애니메이션을 좋아하기도 하니 그럼 성우도 괜찮겠다 싶어서 그 길에 발을 들여놓았습니다.

그렇게 돌고 돌아 지금은 소설을 쓰고 있습니다.

제가 지금 이렇게 소설을 쓰고 이 후기를 쓰고 있는 것도 전부 그 지진을 경험했기 때문입니다. 정말로 인생은 무슨 일이 일어날지 모르는 법입니다.

그때 한 번 죽은 것이나 다름없다는 각오로 그때까지 사양하거나 부끄러워서 못했던 일들을 과감하게 도전하지 않았더라면 저는 지금도 고향에서 살면서 소설을 즐겨 읽긴 해도 직접 써볼 생각은 전혀 없이 평범한 삶을 살고 있었을 겁니다. 정말 인생이란 무슨 일이 계기로 변할지 알 수 없는 것 같습니다.

물론 좋은 방향으로 변한 부분도 있지만, 나쁜 방향으로 변한 부분도 있을 겁니다. 솔직히 지금까지 제가 걸어온 인생은 나쁜 쪽으로 변한 부분이 훨씬 더 많았을 겁니다. 뭐, 덕분에 그만큼 다양한 경험도 해봤지만요.

괴로운 일도 많았고 스트레스로 위궤양에 걸린 적도 있었지만 말입니다.

그런 많은 추억을 떠올리면서 완성한 이 4권.

이번에도 무사히 출간된 건 저에게 힘을 빌려주신 여러분 덕분입니다.

지금도 신세를 지고 있는 담당 S 씨. 회의 주제가 계속 일탈해서 결국 몇 시간이나 걸리고 말았네요. 수다가 심해서 죄송합니다.

그리고 이번에도 멋진 일러스트를 그려주신 키쿠치 선생님. 이번 4권에서는 수영복 씬이 있어서 솔직히 기대했습니다.

기대했던 대로였습니다. 감사합니다.

그런데 이번 삽화에는 어떤 숨겨진 요소가 있다는 걸 여러분은 눈치채셨을까요? 힌트는 첫 번째와 마지막 삽화입니다.

그리고 3권이 발매된 후에 연재가 시작된 만화판 『현자의 손자』의 작화 담당을 맡아주신 오가타 선생님. 제 머릿속을 그대로 옮겨놓은 게 아닐까 하는 착각이 들 정도로 멋진 만화를 그려주셔서 감사합니다.

솔직히 만화판은 거의 제 손을 떠난 상태라 순수하게 어떤 식으로 연출하셨을지 기대하면서 읽고 있습니다. 체크를 위해 사전에 콘티를 볼 수 있는 건 원작자의 특권이겠지요. 앞으로도 기대하겠습니다.

그리고 『소설가가 되자』에서도 계속 갱신 중인 이 작품을 읽어주시는 여러분.

『현자의 손자』는 아무리 시간이 걸리더라도 완결까지 연재할 생각이오니 앞으로도 인터넷판과 서적판도 함께 해주시면 감사하겠습니다.

그럼 또 다음 권에서 뵙겠습니다.

2016년 7월 요시오카 츠요시

가슴이 큰 것도,
노출이 심한 수영복도
어디까지나 담당자님의
지정대로였습니다만,
약간 지나친 감이
없잖아 있네요…….
(' 、3_ヽ)_손자 ―
키쿠치 세이지

■역자 후기

쿠마모토 지진……. 솔직히 완전히 남의 일이라는 생각이 들지 않는 단어가 후기에 나와서 깜짝 놀랐습니다. 제 가장 오랜 친구가 그 근처에서 살고 있거든요. 사실 당시에는 마감에 쫓기느라 바빠서 그런 큰일이 일어났는지도 몰랐습니다만, 나중에 연락을 통해 알게 됐을 땐 정말 간담이 다 서늘했던 기억이 납니다. 요즘은 워낙 기술이 발달해서 위성사진으로 현지의 상황을 확인할 수 있습니다만, 마침 오랜만에 구○맵을 켜보니 거리는 예전의 모습을 많이 되찾은 것 같아 보여서 다행이네요.

개인적으로 작가님의 후기를 읽고 이 작품에 관해 많은 생각을 하게 된 것 같습니다. 글을 쓰는 분들의 간절함. 그리고 이 장르의 가장 큰 목적은 어디까지나 서로 즐거움과 기쁨을 공유하자는 다분히 호의적이고 선한 의도라는 것을 말입니다. 아마 저로선 상상도 할 수 없는 고통을 경험하신 작가님께서는 이 집필 작업을 통해 많은 용기를 얻으시진 않았을까 감히 짐작해봅니다.

그럼 애니메이션 계획도 진행 중이라고 하는 이 현자의 손자 시리즈를 앞으로도 즐겁게 지켜봐 주시길 바라며 이만 짧은 후기를 마칩니다.

현자의 손자 4
천하무쌍의 마왕 강림

1판 1쇄 발행 2018년 3월 10일
1판 2쇄 발행 2018년 4월 24일

지은이_ Tsuyoshi Yoshioka
일러스트_ Seiji Kikuchi
옮긴이_ 최승원

발행인_ 신현호
편집국장_ 김은주
편집진행_ 최은진 · 김기준 · 김승신 · 원현선 · 김솔함 · 권세라
편집디자인_ 양우연
국제업무_ 정아라 · 고금비
관리 · 영업_ 김민원 · 이주형 · 조인희

펴낸곳_ (주)디앤씨미디어
등록_ 2002년 4월 25일 제20-260호
주소_ 서울시 구로구 디지털로 26길 111 JnK디지털타워 503호
전화_ 02-333-2513(대표)
팩시밀리_ 02-333-2514
이메일_ lnovelpiya@naver.com
L노벨 공식 카페_ http://cafe.naver.com/lnovel11

ISBN 979-11-278-4412-7 04830
ISBN 979-11-278-3969-7 (세트)

값 7,000원

L NOVEL

백수, 마왕의 모습으로 이세계에 1~3권

아이아츠시 지음 | 카츠라이 요시아키 일러스트 | 김장준 옮김

한창 즐겼던 게임이 서비스 종료를 맞이한 날.
홀로 대보스를 토벌하고 사기급 능력을 입수한 요시키는
낯선 장소에서 눈을 떴다.
마왕으로 착각할 만할 중2병 장비를 걸친
자신의 캐릭터, 카이본의 모습으로!
심지어 갈피를 잡지 못하는 그의 앞에
요시키의 세컨드 캐릭터, 엘프 류에가 나타나고……?!
그녀와 둘이서 생활하는 동안 그는 알게 된다.
자신이 이 세계에서 신화 수준의 영웅으로 전해져 내려온다는 것을—!

마왕의 모습으로 세계를 누비는
유유자적 여행기, 개막!!

NOVEL